BTS THE REVIEW

Contents

目 次

Contents

第 2 章

K-POPの新たなモデル BTS

第 3 章

地上最高のポップグループ BTS

【凡例】

・(　)内は、著者による補足説明です。説明文が長い場合は、該当する箇所に★を付記し、ページ下部に分けて掲載しました。
・[　]内は、訳者による補足説明です。
・アルバム、ミックステープ、書籍などのタイトルは『　』で、楽曲のタイトルは「　」でくくりました。
・アルバム、ミニアルバム、曲名などの表記は「Big Hitエンターテインメント」公式サイト(https://www.bighitcorp.com/kor/、2020年4月30日閲覧)を参照し、日本語バージョンがある場合は併記しています。公式サイトにない作品は、原書の表記を用いています。
・本文中のデータは、原則として2020年4月30日時点のものにアップデートしたものです。
・Reviewパートにおける歌詞の引用について

> 引用の有無と引用箇所は、原書のままとしました。
> オリジナルの歌詞と、訳し下しの日本語訳を併記しました。
> 日本語バージョンの歌詞が存在する場合は、訳者を明記したうえで掲載しました。

BTS THE REVIEW

BTSを読む

なぜ世界を夢中にさせるのか

柏書房

Prologue

BTS現象の秘密を掘り起こすために

韓国のポピュラー音楽産業は90年代序盤、ソテジワアイドゥル★をはじめとするアーティストの登場で、新たな転換期を迎えた。「流行歌」にすぎなかった韓国の歌謡曲が、時代性とクオリティにおいてアメリカのポピュラー音楽に近づきはじめたのだ。90年代中盤以降、初めて体系的な「システム」を通じて本格的な産業化の段階へと突入し、21世紀を迎える頃には、国内市場から世界へと視野を広げた。かくして韓国のポピュラーミュージックは、「K-POP」という新たな名で呼ばれるようになった。新しい名を得た音楽シーンで、私たちは「現象」ともいえる重要な2つのターニングポイントを経験することになる。1回目は、もちろん世界的なセンセーションを巻き起こし、韓国のポピュラー音楽市場最高のグローバルヒット曲となったPSY(サイ)の「江南(カンナム)スタイル」(2012)だ。2回目は、本書で取り上げる防弾少年団の浮上、すなわち「BTS現象」だ。

新しい現象が生まれるたびに、人びとは本人の立場からもっとも納得がいく、理解しやすいシンプルな分析や説明を求めがちだ。そういう心理は十分に理解できる。私もやはり新しい現象を分析することを職業にしているひとりとして、なるべく理路整然とわかりや

★1992〜96年に活動した、男性3人によるヒップホップグループ。

すい説明を心がけている。だが、音楽を研究し、教え、評論しながら教訓として感じているのは、説得力があり筋が通った分析の大部分は、たいてい誇張されていたり、作為的であったりするということだ。大衆文化のすべての現象には原因があって当然だが、その理由は完璧な論理で説明できるとは限らない。また、現象をめぐる状況を論理的に説明できるとしても、往々にしてその本質は、数行の文章や段落では整理しきれないほど複合的かつ多層的である。いわゆる「BTS現象」も同様だ。

防弾少年団(以下BTS)は、ほかのアーティストと何が違うのか？ BTS現象の本質とは何か？　彼らの成功が私たちに語ることとは？人びとはBTSの音楽と活動をずっと追ってきた私に、時々こんなことを問う。だが、がっかりするかもしれないが、私はこの本でそのような質問にたいする明快でストレートな答えを出そうとは考えていない。また、もしどこかで誰かが確かな答えを知っているというならば、その言葉をそのまま鵜呑みにしないでほしい。BTSがどのように異なるのか、彼らの成功にはどんな特別な点があるのかは、人によって、そしてそれぞれの専門分野や観点によってさまざまな(時には間違った)分析が存在しうる。あいにく私が知っている限り、これまでのBTSの成功に関する分析のなかで、本質を正確に突いているものはひとつもないように思える。これは私たちが彼らの「成功」という結果のみに注目しているためであり、彼らの歩んできた道や過程には関心を払っていないせいであろう。BTSの成功は一日にしてならず、また、誰かの魔法によるものでもない。これまでのすべての歩みが今日(こんにち)の彼らをつくっているのだ。

この本で私は、2014年からアメリカ市場を中心に追ってきたBTSの活躍と彼らとファンがともにつくりだしたBTS現象がしめすさまざまな意味を、多角的に紹介する。だが、大げさな説明や分析を試みるのではなく、ひたすらBTSの音楽を聴き、彼らのメッセージにしっかり耳を傾けることに徹するべきだと考えている。みんな、BTSがほかならぬ「ミュージシャン」である事実を忘れてしまいがちだ。だからすべての分析が、「記録」、「マネー」、あるいは「成果」ばかりに集中する。そのような分析は興味深いが、しばしば本質から外れ、虚しいものになる。BTSはミュージシャンであり、彼らの最大の魅力と成功の秘訣は、ずばり音楽とパフォーマンスにあるのだが、誰も彼らの音楽を真剣に深く語ろうとしない。音楽にたいする分析は難解で抽象的であり、アイドル音楽はそれほど真剣に聴く必要がないと思っているからだ。本書ではBTSの音楽を傾聴し、彼らの成功の秘密に迫ってみたい。しかし、漠然と聴くだけでは答えは見えてこない。ポピュラー音楽の過去と現在を見渡し、同じ点と異なる点を理解し、K-POPのみならず世界のポピュラー音楽の流れのなかでBTSの音楽がもつ意味を立体的に探ってこそ、BTSが成功した理由の全貌をつかむことができる。ゆえにそれは、ずっと音楽を研究し評論し続けてきた私が果たすべき役割なのだ。

本書では、BTSとメンバーがリリースした16枚のアルバムのレビューにもっとも多くのページを割いている。読者は負担を感じる構成かもしれないが、私としては悩むことのない当然の選択だった。この本のために私は、すでに数えきれないほど耳にしたBTSのディスコグラフィー全体を、ふたたび何度も修行のように聴き込み、フルアルバムとシングル、ソロアルバム、そして彼らの活動すべてを、まったく新しい気持ちで分析した。同じ曲を何回も聴きすぎて、何も考えが浮かばないこともしょっちゅうだった。それでも私は、曲がもつ意味と魅力を徹底的に音楽の観点から読み解くと同時に、この音楽を初めて聴く人たちにとってガイドとなるように、新たな観点を生みだそうと試みた。そのような意味で本書は、「評論」であり「レビュー」であり、同時に「ライナー・ノーツ」でもある。本のなかには、「なぜBTSは時代の寵児といわれる地位に上りつめたのか」という疑問にたいする答えが記されている。だが、それは数行の文章やひとつの記事に明記されたものではなく、本書で触れているすべての曲と歌詞、そしてBTSの歩いてきた道のりについての多角的な分析などを通じて得られるのだ。これは、決して偽りや嘘ではない。

この本を読みながら、お気に入りのスピーカーやイヤホンでBTSの音楽にあらためてじっくり耳を傾け、彼らのキャリアに想いを馳(は)せてほしい。音楽評論家の視点と自分の視点をくらべてみるのも面白いかもしれない。そして最後のページをめくる瞬間、BTSの本質と成功の秘密について満足できる答えが心に浮かぶことを願っている。

「温かいお茶を一杯飲みながら 天の川を見上げる」

2019年2月アメリカ・シアトルにて
音楽評論家　キム・ヨンデ

第1章

BTS

the Hip-pop Idol

ヒップホップアイドル BTS

本章では「ヒップホップアイドル」BTSの登場が
韓国のポピュラー音楽史にもたらした意味を、さまざまな角度から分析する。
「BTS現象」の兆(きざ)しが見えた、
2014年にアメリカで開催されたKCONから、
BTS初期のキャリアを飾る音楽と活動を見ていこう。

Column — 01

「KCON 2014」で見たもの

現在、全世界のポップス市場に旋風を巻き起こしている「BTS現象」の本質は、いろいろな方向から説明が可能だ。しかし、韓国のポピュラー音楽、すなわちK-POPの歴史においてもっとも意義のある成果は、もちろん米ビルボード・アルバム・チャート1位に象徴される「アメリカ音楽市場の征服」に尽きるだろう。記憶をたぐると、海外市場で韓国のポピュラー音楽が成果をあげた例は少なからず存在する。2000年代初め、K-POPが本格的に世界の門を叩いて以来、BoAやRain［1998年に韓国デビューしたソロ歌手］が先駆的な役割を果たしてきた。とくにBoAは、K-POPが巧みな現地化戦略で成功した初のケースで、K-POPが進むべき道をしめした例として評価できる。2010年代以降は、アイドルグループの人気によって、世界的なK-POPとカバーダンス［アーティストやグループの振付や衣装をコピーして踊ること］がブームになった。それだけではない。PSYの「江南スタイル」と、いわゆる「馬ダンス」は、おそらく韓国が生んだ最大のグローバル・バイラルヒット商品だといえるだろう。だが、これらはいずれも、2017年から全世界を揺さぶり続けるBTS現象の重みとはくらべものにならない。

BTS現象は、それまでの韓流をベースとしたK-POPブームとは、多くの面で区別される。ひとつめは、地域だ。従来の韓流は、韓国、中国、日本など東アジアを中心に火がつき、東南アジアを征服したあと、アメリカとヨーロッパ、南米などにかすかに広まった。たいしてBTSの人気は、むしろポップスの心臓部であるアメリカでの爆発的な反応が起爆剤となり、これまでのケースとは逆行するようにアジアや南米へと拡大した。このような思いもよらぬ海外での人気が導火線となって韓国人の関心に火がつき、グローバルなK-POPにおいて初の双方向、あるいは「逆輸入」現象が起きた。ふたつめの違いは、この成功がかつてないほど固い絆で結ばれたグローバル「ファンダム」のサポートをベースにしているという点だ。既存の韓流やK-POPの人気は、ドラマから音楽へと発展した流れと見るのが一般的で、いずれもファン層は、韓国の大衆文化マニアだった。ところが、BTSの成功は、ドラマのような伝統的な韓流とはまったくかけ離れた、非常に「音楽的な」現象であり、BTSと同じくらい有名になった「ARMY(アーミー)★」と呼ばれる、熱狂的なファン層が放つ炎のようなパワーによって支えられているのが特徴的だ。本書で後述するが、ARMYは時にみずからをK-POPファンではない「BTSファン」として、ユニークなアイデンティティを主張したりする。また、ARMYの情熱は、従来のK-POPのいかなるファンダムをも凌(しの)ぐほど強烈だ。

韓国ではBTSを、一夜にして注目を浴びスターの座に就いたシンデレラのように伝えているが、グローバル・スターとして彼らがもつ潜在力は、すでにデビュー当時から察知されていた。兆しの原点は、2014年夏、アメリカ・ロサンゼルスで開催されたKCON［K-POP、K-Beauty、K-Fashion、K-Food、K-Dramaなど韓流文化コンテンツを体験するコンベ

★ BTSのファンA.R.M.Y、すなわち「Army」は軍隊を表し、防弾服と軍隊がいつもともにあるように、防弾少年団とファンクラブもずっと一緒だという意味をもつ。「Adorable Representative M.C for Youth」（若者を代表する魅力的なM.C）の略語。

ンションとコンサートを融合したK-Cultureフェスティバル。CJ ENMが主催］だった。そこでまったく予期せぬことが起きた。新人グループとして参加し、ほぼ無名だったBTS。彼らにたいするアメリカのK-POPファンたちの反応が、異常なほどに熱かったのだ。G-DRAGON、少女時代、IU［2008年デビューのソロ歌手］といったK-POPのスーパースターとは比較にならないものの、耳を疑うくらい大きな歓声に包まれていた。そう感じたのは、私だけではなかった。ビルボードをはじめとするアメリカの現地メディアも、ファンの異例の熱狂ぶりにいち早く注目した。KCONの会場を後にした私は、コラムとSNSに、このような反応について、これまでのK-POPコミュニティでは見られなかった「たぐいまれなる」熱気であり、まさに新たな時代の幕開けの「啓示」のように感じたと記した。その言葉は正しかった。

興味深い事実をひとつ挙げてみよう。2014年当時、BTSはまだ新人にすぎなかっただけでなく、K-POP産業、とくに海外市場でのプロモーションと人気に支配的な影響力をもっていたビッグ3、すなわちSMエンターテインメント、JYPエンターテインメント、YGエンターテインメントのような大手ではない、「Big Hitエンターテインメント」（以下Big Hit）という新しい芸能事務所が手がける唯一のアイドルグループだった。プロデューサーのパン・シヒョクは元JYPのプロデューサー兼ヒットメーカーの作曲家であり、音楽の企画と制作にたいするノウハウを備えていたのは明らかだ。だが、BTSは大手芸能事務所のアイドルグループのようにデビュー当時からメディアの注目を集めることはできなかった。韓国内でファンダムが生まれ、大きな反響を呼ぶようになったのは、長い時間が経ったあとだった。また、BTSが初めてアメリカで注目された2014年は、PSYの「江南スタイル」の興奮が冷めやらぬ、まさにK-POPの絶頂期。IUがK-POPの女王の座に君臨し、少女時代とBIGBANGは変わらずアイドルとして人気のピークを享受し、EXO［SMエンターテインメント所属のボーイズグループ。2012年にデビュー］が韓国と中国をまたにかけるグローバルK-POPの新たな有望株として注目されはじめていた。似たようなヒップホップのコンセプトをもつアイドル、B.A.P［2012～2019年に活動した男性6人組アイドルグループ］とBlock B［2011年デビューの7人組男性アイドルグループ。現在はソロとユニットでの活動が中心］がほぼ同時に登場し、さらに多くのボーイズグループとガールズグループが生まれて熾烈（しれつ）な競争を繰り広げ、脚光を浴びるのはとても難しかった。ゆえに、BTSがアメリカ市場に適した潜在力のあるグループだとは誰も想像できなかったのも、当然だった。

そんななか、アメリカのK-POPファンが突然BTSに注目しはじめた。それは、さまざまな点で想定外の展開だった。メンバー構成を見ても、韓国系アメリカ人や外国人が組み込まれたグローバル仕様の大手芸能事務所のアイドルグループにくらべると、決して「アメリカ向き」「世界市場向き」のグループとはいえなかった。それだけではない。Big Hitは、音楽的な能力を維持する力やノウハウはもっていたかもしれないが、アメリカ現地のプロモーターとメディアのコネクションを生かして体系的に進出を企てる環境を擁するにはいたらない、小さな芸能事務所にすぎなかった。ヒップホップが新たなトレンドになりつつあったとはいえ、ヒップホップ・アイドルは時に「中途半端」と評され、実力さえ軽視されていた。過酷な競争のさなかにあった2010年代序盤、BTSという無名のボーイズグループを、アイドル音楽シーンにおける「次世代ヒット商品」として関心を寄せる韓国メディアは皆無だった。偏見が少ないアメリカ市場のK-POPファンとメディアが、最初にBTSの潜在的な力を見いだした。その数はそれほど多くはなかったが、彼らの存在はとても重要で象徴的だった。

2014年前後におけるBTSのアメリカ国内での歩みを振り返ってみよう。KCONが開催される数カ月前、BTSはロサンゼルスのライブハウス「トルバドール」で、わずか約200人のファンのためにサプライズコンサートをおこなった。K-POPが誇る豪華なライブとはかけ離れた、インディーズのアーティストをほうふつとさせる小さな規模だったが、現場はすごい熱気に満ちあふれていたという。音楽の成功の基準は、会場のサイズや華やかさだけではない。小さな空間で少数のファンに与えた親近感、心を込めたスキンシップの効果は、その後すぐに開かれたKCONで発揮された。BTSのファンミーティングと公演のステージの時、黒いマスクと服をそろって身に着けた、いわゆる「ARMY」が隊列を組むかのように初めて現れたのだ。この熱い雰囲気は、翌月開催された北米および南米ファンミーティングの大成功へと続く。彼らは、数年後に巻き起こるBTS現象のこのうえなくコアなサポーターとなった。つまり、K-POPアイドルとしてはまれな「インディーズ風」、あるいは「草の根的」なボトムアップ式に、人気が築かれていったのだ。英語でレコーディングされた曲がひとつもないにもかかわらず、BTSはアメリカ市場でもっとも注目される次世代K-POPグループに浮上した。そして2年後。「ステイプルズ・センター」という最大規模のアリーナで開催されたKCONのステージにヘッドライナーとして登場した彼らは、会場を歓喜の渦に巻き込んだ。その情熱的な歓声は、翌年に開かれる米国ツアーの予兆のようにも感じられた。

こうした状況をつぶさに観察していた人であれば、BTSがアメリカで想定外の関心を浴びる兆しに、いち早く気づくことができただろう。BTSという名前が世界中のK-POPファンに本格的に知られるようになったきっかけは、2014年。韓国のあるケーブルテレビで放送された『アメリカンハッスルライフ』［日本放送時のタイトルは『防弾少年団のアメリカンハッスルライフ』］というリアリティショーの番組だった。情熱のみを携えた未熟でピュアな新人アイドルグループが、初めてアメリカに足を踏み入れ、憧れていたアメリカの大物ラッパーたちと会い、アドバイスを受けたりラップの作詞やMVの制作をともにしたりする。新生ヒップホップグループ、BTSの魅力を韓国国内のファンに伝えるために企画されたプログラムだ。いま思えば見どころたっぷりだが、当時韓国の音楽ファン、とくにヒップホップ界隈からは良い反応を得られなかった。ヒップホップに強いこだわりをもつマニア層には、アイドルのダンスグループが中途半端にヒップホップアーティストの真似をしているようにしか映らなかったのだ。実際『アメリカンハッスルライフ』は、基本的にヒップホップというジャンルの歴史的な特性、つまり地域的あるいは人種的な「本物」と交わることで信用を得るという、古典的な戦略をとったバラエティだった。いい換えれば、アメリカで必死に学び、あがく姿を見せ、韓国のファンにBTSのヒップホップにたいする才能や情熱が「本物」であることをしめす意図が番組にはあった。ところが、予期せぬどんでん返しが起きた。韓国の視聴者には嘲笑を買うパロディのように受け止められた番組が、結果的にアメリカのファンの関心を引くことになったのだ。もともととくに外国市場を狙ったものではないにもかかわらず、『アメリカンハッスルライフ』は目ざとい海外のファンによってすぐに翻訳され、K-POPファンたちが動画を見た。これがアメリカにおける「ARMY」結成のきっかけとなった。

BTSがアメリカで関心を集めた型破りの軌跡をたどると、なぜか心が躍る。ポピュラー音楽はシステムと宣伝で巧みに操られるものだという既成概念を鑑みると、いっそうわくわくする。BTSのイベントや努力、そのすべての核心にあるのは嘘のない姿勢だ。想定外の幸運も、当然作用しているだろう。だがもっとも重要なのは、その過程が作為的でなく、自然な流れだったという事実だ。BTSは彼らの立場でベストを尽くした。慎み深く、情熱的で、何よりも正直な姿は、言葉と文化の壁を超え、アメリカのファンの心を動かした。マナーは過度に洗練されていないものの、完璧でないありのままの姿を見せる誠意ある新人アイドルに、アメリカ人は清新さを感じた。アメリカ発のBTS現象は、このように大多数の人びとがまったく気づかないうちに火が付いたのだった。

Column ＿ 02

K-POPアイドルの進化

2010年代、アメリカを中心とする世界のポピュラー音楽界に起きた最大の変化は、ヒップホップがメインストリームを掌握したことだ。ストリートカルチャーだったヒップホップは、70年代に初めてマスメディアによって音楽市場にもたらされ、80年代半ばに本格的に商業化された。そして90年代半ばには、アメリカでもっとも人気があり、影響力のあるジャンルとなった。韓国のヒップホップとラップを理解するためには、80年代後半までさかのぼる必要がある。韓国にヒップホップが上陸したのは70年代末、ディスコブームに乗って無数に誕生したダンスホールやナイトクラブだった。とくに梨泰院（イテウォン）など外国人が多く住む地域では、ダンサーのあいだで黒人のブレークダンスが流行した。そして彼らが歌謡界で活躍するようになり、ポピュラー音楽を形成していく。しかし、ソテジワアイドゥル、DEUX（デュース）［1993年デビューのヒップホップデュオ。95年に解散］、ヒョン・ジニョン［1989年にSM企画（現・SMエンターテインメント）の最初のアーティストとしてデビュー］を中心としたラップ音楽は、一時的に人気を享受したものの、メインストリームの音楽市場では、大きな存在感はなかった。そんなヒップホップは、90年代末からインターネットコミュニティなどで新たなトレンドとなり、2000年代初めには重要な「インディー・ミュージック」のひとつとしてふたたび浮上した。

2010年代のヒップホップは、それまでのトレンドは明らかに異なる。サウンドは、ラップの新ジャンルで、ダンスと相性が良い「トラップ」がベース。さらに音楽だけでなく、ファッションとライフスタイルすべてにおいて、ヒップホップ特有のカルチャーが流行りはじめた。このムーブメントに決定的な影響を及ぼしたのは、2012年にスタートした音楽番組『SHOW ME THE MONEY』だった。この番組は、20年間アンダーグラウンドにとどまっていたラップをメジャーに押し上げ、アイドル音楽をふくむK-POP全体に大きなインパクトを与えた。シンセポップや「フックソング」(サビで同じ言葉やリズムをくり返す曲)といわれるEDM一辺倒だったアイドル音楽のトレンドは、BIGBANGとG-DRAGONに代表されるヒップホップとR&Bなど、ブラックミュージック志向のアーバンサウンドへと急速に変化した。そんななか、ラップを音楽のわき役ではなく主人公として前面に出した「ヒップホップアイドル」は、K-POPボーイズグループの新たなオルタナティヴとしての可能性に挑むことになる。BTSはこのような流行の大転換期に登場し、ヒップホップのジャンルとスタイルを、アイドルグループの公式とかけあわせたようなチームだった。

「ヒップホップアイドル」という言葉は、音楽史的に考えると、明らかに矛盾する単語の組みあわせだ。よく知られているように、ヒップホップは、70年代にニューヨークのゲットーといわれる都会の貧民地区から誕生した音楽ジャンルだ。荒削りなストリートカルチャーの一部だったヒップホップが、本格的に商業化の道を歩みはじめたのは、80年代半ばのこと。とくに、貧しい黒人の人生を赤裸々に、時にこっけいに誇張して描写するギャングスタラップは、中流階級の白人の文化的な「のぞき見的興味」をかき立てた。だが、それが大きなきっかけとなり、ヒップホップはメインストリームに踊りでる。ヒップホップはストリートやフッド(hood: 貧民街を意味するスラング）と呼ばれるコミュニティにルーツをもち、社会的・文化的な価値観に合っているかが厳格に試される音楽である。ブラックミュージックとして人種的なアイデンティティをはっきりと表現し、パンクロックやフォーク音楽と同じように、メッセージが本物であることに強いこだわりをもつ。商業化されたあと、人種と国境を越える「ポピュラー」な音楽に生まれ変わったとはいえ、ヒップホップの世界では昔と変わらず本物（real）かニセ物（fake）かを、まるで検閲のように厳しくチェックする。この基準を満たせなかったラッパーが、一瞬にして破滅してしまうこともしばしばだった。億万長者を生むジャンルになったにもかかわらず、ヒップホップはいまでもDIY（Do it yourself）の精神に根差し、音楽の産業化という荒波にもまれている。アンダーグラウンドシーンでその精神を守ろうとする動きが活発であることも、心に留めておきたい。

一方、アイドルは、ポピュラー音楽のなかでもヒップホップと真逆に位置するジャンルだ。アイドルポップ音楽の由来は50年代にR&Bから派生したボーカルハーモニーグループで、そのあと、モータウン★によって、若者たちの音楽になった。芸能事務所とプロデューサーによるシステムと統制を業界の作法として受け入れつつ、実験的な曲作りよりも、聴いて楽しい大衆的な音楽を美徳とした。後述するが、このアメリカ的なポップアイドルの伝統を継いだのは、80年代のJ-POPと、2000年代のK-POPアイドル産業である。この2つの産業は、プロデューサーと芸能事務所を中心とした音楽制作のシステムとトレーニングを必須としている。K-POPはビジュアルのインパクトを与えるミュージックビデオと完璧な振付のダンスを取

★ 60～70年代に大流行した伝説的なブラックミュージック専門レーベル。聴き心地の良い大衆的なスタイルで、R&Bのひとつのサブジャンルとみなされることもある。ジャクソン5、シュープリームスなどのグループが有名。

り入れ、J-POPのシステムをさらに進化させたものだ。そして、ポピュラー音楽の歴史において初めて、ジャンル的になじみの薄かったヒップホップとボーイズバンドをミックスすることにも成功した。

アイドルとヒップホップという異なる組みあわせが、なぜK-POPでは可能だったのか。もっとも決定的な理由は、K-POPアイドルの原点は、「ラップ」と「ダンス」にあるということだ。多くの人が指摘するように、韓国アイドル音楽の原型は、ソテジワアイドゥルによってつくられた。彼らはいまのアイドルとは違い、芸能事務所のプロデュースシステムに依存せず、ラップとダンスを身につけ、ステージでのパフォーマンスとビジュアルを武器に勝負した。既存のダンス歌手とは差別化された、メインストリームにおけるK-POPのプロトタイプといえる。ソテジワアイドゥルが起こした革命は、図らずともアイドル音楽に受けつがれた。SMエンターテインメントのイ・スマンは、ダンスが上手い5人の少年を集めてトレーニングを積ませ、1996年にH.O.T.（エイチオーティー）［1996年デビューの5人組ボーイズバンド］を結成。H.O.T.は、ソテジワアイドゥルのような強烈なメッセージとサウンドを盛り込んだギャングスタヒップホップと、甘くキュートなダンス音楽をバランス良くマッチさせた。ソテジワアイドゥルのメンバーだったヤン・ヒョンソクは、芸能事務所YGを設立。ブラックミュージックをベースにしたデュオJINUSEAN（ジヌション）［1997年にデビューした2人組ヒップホップ歌手］と、現在のヒップホップアイドルに一番よく似ている1TYM（ワンタイム）［1998年にデビューしたヒップホップをメインとする4人組男性グループ］をプロデュースし、アイドル音楽のフォーマットにヒップホップを接続した。そしてこの流れは8年後、アーバンヒップホップ・アイドルのBIGBANGに継承される。BIGBANGの快挙は、ヒップホップをはじめとするブラックミュージックが、韓国の既存のポピュラーミュージック業界で成功しうることをしめした例として、大きな意味をもつ。このように、K-POPの歴史においてヒップホップはいつも重要なポジションを占めてきた。

BTSは韓国におけるヒップホップとアイドル音楽の文脈を受けつぎながら、新たな方向へ進化させたチームだ。特筆すべきは、ラップとヒップホップを過去のいかなるアイドルよりも深く掘り下げたということ。彼らは単にヒップホップを曲に生かしただけでなく、みずからのアイデンティティとして受け入れた。ラップやヒップホップを取り入れたようでも、きっちりと音楽や態度に具現化できないアイドルグループは多い。だが、アイデンティティが明確なBTSは、彼らとは一線を画している。アイドル音楽はもちろん、K-POPのメインストリームでは、ラップは一般的に音楽の核というより飾りに近いものとされていた。ヒップホップアイドルとしてのアイデンティティと姿勢の両方を備えたBIGBANGでさえ、ラップというカテゴリーを前面に打ちだすことはできなかった。ところが、BTSにはそれが可能だった。BTSのオリジナリティは、グループのフォーマットにはっきりと表れている。Big Hitは、ラッパーのRMとSUGAを中心にチームを構成し、企画段階からアイドルではなくヒップホップグループを目指した。BTSの音楽では、ラップはダンスミュージックのスパイスでも、サビの隙間を埋めるためのものでもない。「Cypher（サイファー）」シリーズでも明らかなように、彼らのメッセージは強くストレートで、ラップのテクニックもアイドルとは思えないほどハイレベルだ。

さらに重要なのは、本物のヒップホップと真摯に向きあう姿勢だ。BTSは、ほかのグループとは異なり、ヒップホップを一過性のコンセプトにはしなかった。アンダーグラウンドのヒップホップコミュニティやライバルのアイドルグループから批判されても、レベルアップを怠らず、アイデンティティを貫いた。グループ活動では満たしきれないラップへの渇望を、メンバーごとのミックステープとソロ活動で埋めあわせたのも、ヒップホップアーティストらしい姿勢といえる。ヒップホップアイドルを標榜するBTSにとって、ヒップホップは音楽以上の意味をもつ。それは、前述したヒップホップと向きあう姿勢、つまり自分たちの音楽（ビート）と歌詞において、イニシアティブを発揮できるかという問いに結びつく。この部分については、彼らもアイドル音楽にたいする批判から完全に解き放たれることは不可能だ。BTSはパン・シヒョクというプロデューサーに選ばれて育成されたひとつの「企画」であり、音楽はPdoggやSlow Rabbit、Supreme Boiなど実力のあるプロデューサーに大きく依存しているからだ。だが、つねに音楽を自分たちのものであると意識し、成長を続けるBTSのアイデンティティは、決して揺らいでいない。練習生になった当初から、彼らはみずからビートを生み、リリックを書き上げた。プロデューサーのパン・シヒョクとPdoggは、メンバーの個性を敢（あ）えてコントロールせず、創造力を第一に育て、必要に応じて専門的なスキルを伝授し、サポートした。こうして誕生したBTSの音楽は、荒削りで洗練されていないところもあったが、信頼を抱かせるに十分だった。

ヒップホップアイドルという革新的なアイデンティティは、差別化の面では成功しているが、大衆を意識した緻密な戦略とはいいがたい。しかしこのアイデンティティこそが、BTSがとりわけ海外でユニークなファンダムを開拓する原動力だった。アメリカの市場では歌手に、アイデンティティの信頼性が求められる。みずからの音楽に責任をもち、自分たちの物語をストレートに語るBTSの「脱アイドル」という方法論は、K-POPが「つくられた」不自然な音楽であるという偏見を打ち砕き、既存のK-POPとは異なる新たなファンダムを生む力となる。BTSがアメリカの音楽シーンに登場した2014年といえば、韓国では2NE1（トゥエニィワン）、BIGBANGのSOL（ソル）、EXO（エクソ）、少女時代などがしのぎを削るアイドル音楽の全盛期だった。その熾烈な戦場に、BTSの居場所は存在しないように見えた。しかし、アメリカの状況は少し異なる。BTSが初めてアメリカで舞台を踏んだKCONには、すでに無視できないほどの現地のファンがいて、メディアも彼らのステージに注目していた。当時現場にいた私は、『SHOW ME THE MONEY』とBTSが、未来を切り開く重要な鍵になるのではないかとささやかな期待を寄せた。それは数年後に現実となる。

ポピュラー音楽のトレンドには、その時代の意識のニーズが映しだされる。たとえば、90年代のソテジワアイドゥルをはじめとするいわゆる「新世代」ミュージックは、音楽を消費する人たちの世代交代を象徴していた。2000年代に入り、音楽の中心がデジタルセールスへと急激に移行すると、ミュージシャンたちは意欲を失い、市場はきわめて保守的な方向へ傾きはじめた。そんななか、資本と企画力を武器に規模を広げたアイドル産業は、「K-POPの世界展開」という重要な結果を生んだ。この流れは現在まで続いている。一方で、韓国の人びとの音楽にたいするセンスは、どんどん表面的で浅くなっていった。チャートのトップを占める曲の多くは幅広い人びとの共感を得られず、一部の実験的な音楽もごく少数の熱狂的なファンにウケるだけだった。海外のK-POPファンダムも、同じような状況だった。2000年代半ば、YouTubeの誕生とともに花開いたK-POPアイドル音楽は、ある時点に達すると、ありきたりな曲が量産されはじめた。PSYが異例の成功を遂げ、K-POPを中心とした韓流ブームが巻き起こったにもかかわらず、韓国のポピュラー音楽は、相変わらず「エキゾチックな見世物」としか評価されなかった。海外のファンはK-POPの代わりに、ストレートなメッセージとクリエイティビティを打ちだしたヒップホップやインディーズロックなどをネットなどで探し求め、聴くようになった。そして彼らがキャッチしたボーイズバンドが、ヒップホップをベースにみずみずしい美学を公言したBTSだった。いま思えば、これがK-POPとファンダムの重大な地殻変動をしめすシグナルだったのは明らかだ。だが、微(かす)かな変化に気づいた人は、ほとんどいなかった。

Interview _ 01

過小評価されたラッパー、BTS

ヒップホップジャーナリスト
キム・ボンヒョン

BTSは「ヒップホップアイドル」をうたって誕生したグループだ。
したがって初期の作品は、「ヒップホップ」という音楽的な文脈と、
韓国ポピュラー音楽におけるヒップホップとアイドルの出会いの歴史を知らずして、
意味をより深く理解するのは難しい。
デビュー後に巻き起こしたヒップホップアイドルをめぐる論争、
BTSにたいする偏見と誤解、そして彼らの達成した成果と意味について、
韓国の代表的なヒップホップジャーナリストであるキム・ボンヒョンと振り返った。

キム・ヨンデ　キム・ボンヒョンさんは、音楽ジャーナリストのなかで、もっとも早く、そして一番近くでBTSを見つめてきた人のひとりです。BTSの存在を知ったきっかけは？

キム・ボンヒョン　実は、それがいつだったのか、正確には思いだせません。ある日、パン・シヒョク・プロデューサー[BTSが所属するBig Hitエンターテインメントの代表]から連絡がきて、「ヒップホップをアイデンティティにしたアイドルグループをデビューさせる計画がある」と、アドバイスを求められました。たぶん、それがBTSに関心をもつようになったきっかけでした。

キム・ヨンデ　普段、アイドルの曲はあまり聴かなかったそうですね。初めて彼らの音楽を耳にした時は、どんな印象でしたか。

キム・ボンヒョン　パン・シヒョク・プロデューサーのスタジオでデビューアルバムを事前に聴いた時、予想を超えるクオリティだと感じたのを覚えています。敢えて期待せずに行ったのですが、想像よりも良かった。のちにプロデューサーのひとりのPdoggが長年のヒップホップファンだと知りました。それが良い方向に作用したのでしょう。RMとSUGAは、当時から目を引く存在でした。ヒップホップアイドルとしてデビューを控えているからスキルを学んでいるというのではなく、幼い頃から自然にヒップホップが大好きだったという印象を受けました。ラップのスキルもかなりのものでしたね。

キム・ヨンデ　BTSは、パン・シヒョク・プロデューサーの狙いに沿って「ヒップホップアイドル」を標榜し、音楽スタイルには少し変化があったものの、いまも基本的なスタイルはそのままのように思えます。韓国のヒップホップアイドルの歴史を論じるためには、1TYMまでさかのぼり、BIGBANGまでの流れを押さえる必要があるでしょう。ヒップホップ評論家の立場から、ヒップホップアイドルというフォーマットにはどのような意味があると思いますか。

キム・ボンヒョン　1TYMは、「ヒップホップアイドル」をうたって登場した最初のグループです。もちろん、韓国で「ヒップホップ」と「アイドル」を初めて合体させたモデルといえば、H.O.T.の楽曲、「戦士の末裔」だと思います。しかし、H.O.T.にとってヒップホップは「道具」だったのにたいし、1TYMにとっては「アイデンティティ」でした。道具は取り替えられるけれど、アイデンティティは捨てられない。それが両者の違いです。H.O.T.とは異なり、1TYMはアイドル性を保ちながらヒップホップとR&Bをベースにした音楽を貫きました。ブラックミュージックからぶれることがなかった。1TYMは、YGエンターテインメントのヤン・ヒョンソク元代表による先駆的な試みでした。ヤン・ヒョンソクは、Keep Six［1996年にデビューした3人組］の失敗を教訓にJINUSEANを手がけ、その経験をもとに1TYMをプロデュースしました。BIGBANGは1TYMで得たことがベースとなっています。1TYMは、韓国のヒップホップ史に新たなカテゴリーをつくりました。プロデューサー兼ラッパーのPerryらによる質の高いプロダクションも、成功を後押ししたといえます。

キム・ヨンデ　H.O.T.や1TYMの時代には、ヒップホップアイドルというコンセプトは存在せず、「ラップをするヒップホップファッションのアイドルがいるね」という感じで。いわゆる「ラップダンス」歌謡★との違いがわかる人はほとんどいませんでした。

キム・ボンヒョン　1TYMが活動していた頃、韓国では「ヒップホップアイドル」というアイデンティティを深くとらえていなかったのだと思います。サウンドとファッションを代弁する「レトリック」だと。その程度の印象でした。90年代後半という時代を鑑みれば、当然かもしれません。もちろん、当時もパソコン通信のヒップホッ

★ 90年代半ばに流行したRoo'Ra（ルーラ）、Noise（ノイズ）などによるラップとダンスミュージックのビートを結びつけた歌謡曲。80年代後半のヒョン・ジニョンらの音楽と90年代前半のソテジワアイドゥルなどの音楽に由来。

プコミュニティなどでは、1TYMをはじめとするYGの音楽を「ニセ物」とか「真のヒップホップではない」と批判する声もありました。でもいま思えば、浅く抽象的な意見です。韓国人は私もふくめて、みんなヒップホップをきちんと深く理解していなかった。当時はそれが普通でした。

キム・ヨンデ　韓国でヒップホップが「宣言された」のは、2000年代初めだったとしても、一般の人たちに理解されはじめたのは2010年以降。正確には音楽番組『SHOW ME THE MONEY』がブームを巻き起こしたあとだといえるでしょう。ヒップホップとは何か、ある程度理解が広まった時期に登場したアイドルたちは、1TYMとはおそらく異なる文脈で受け止められたはずです。もちろん、彼らにたいする非難も、以前よりぐっと具体的になりました。たとえば、当時1TYMは主に音楽のクオリティを責められましたが、いまだったら「俺たちが知っている正統派ヒップホップとは違う！」と言われたかも。

キム・ボンヒョン　BTSはヒップホップアイドルを標榜してデビューしたため、ヒップホップファンたちにさんざん叩かれました。正統派ではないため、とくにきつい批判が飛んだのだと思います。スモーキーなメイクや、完璧にアレンジされた群舞（ぐんぶ）などに非難が集中しました。「どうして男が化粧をするんだ？」「なぜラッパーが踊るんだ？」と。BTSにたいするすべての疑問に共感する立場ではありませんが、転換期にこのようなことが起きるのは、ある意味当然だと思います。避けて通れない道なのです。アイドルとヒップホップは本質的にぶつかりあう存在なのだと、この時あらためて悟りました。

キム・ヨンデ　アメリカの音楽学会で、このテーマについて発表をしたことがあります。アメリカ人が興味をもったのは、「ヒップホップとアイドルはどうすれば共存できるのか」でした。「熱い氷」という言葉のように矛盾している、と。
キム・ボンヒョン　アイドルには、「サービス」や「戦略的にうまくつくられた商品」というイメージ（という本質）があります。たいして、ヒップホップのスタイルや感情は「ストリートカルチャー」や「反骨精神」に根ざしたもの。両者は衝突せざるを得ません。しかし、アイドルとヒップホップがぶつかりあうせいで、BTSのアルバムに収録されているクオリティが高いヒップホップ曲、そしてRMとSUGAのラップの実力までもがバッシングされたことは、いまでも残念です。
キム・ヨンデ　何が「正しいか」の問題ではなく、単純にヒップホップの影響力という面で見れば、これはヒップホップというジャンルに大衆的なインパクトを与えたひとつの例かもしれません。
キム・ボンヒョン　結局、ヒップホップアイドルが誕生したのは、ヒップホップが大衆化する過程においては必然的なことでした。「ヒップホップの変質」や「ヒップホップの死」を論じる人もいますが、私は立場を異にします。新しいものは、いつも最初はニセ物と名指しされ、抗(あらが)うものだから。ヒップホップアイドルは、ヒップホップ音楽が向きあわなければならない未来のひとつでした。ヒップホップの進化系だというつもりはありませんが、柔軟に認めるべき、未来のかたちのひとつだったのではないでしょうか。
キム・ヨンデ　「ヒップホップがアイドルのフォーマットになり得るのか」にこだわるより、ヒップホップアイドルが放つ言葉とスタイルをしっかり見つめたうえで評価すべきだと思います。
キム・ボンヒョン　さらに根本的なことをいうと、ヒップホップとアイドルという、すでに完成された2つの領域にアプローチする方法では、ヒップホップアイドルを完全に説明できません。たとえば、iKON(アイコン)［2015年にデビューした6人組ヒップホップアイドルグループ］のメンバーBOBBY(バビー)は、アイドルでありながらアイドルにとってのタブーを冒した。つまり悪口を言ったり、デビュー当時から自分の過去をはばかることなく明かしたりしましたよね。BOBBYのような行動を、ヒップホップがアイドルを支配したとか、アイドルがヒップホップの真似をしているというのは間違いです。2つの領域が出会い、新たなかたちになったとみるほうが正しい。ヒップホップレーベルのAOMGを設立したJAY PARK（ジェイ・パーク）も同じです。アイドル出身の人がヒップホップシーンに入ったのではなく、JAY PARKが道を切り開き、新しい領域をつくりだしたとみるべきだと思います。
キム・ヨンデ　ヒップホップアイドルというフォーマットは、ヒップホップを浅く真似しているだけのように見えるかもしれませんが、世界のK-POPファンに韓国のヒップホップとラップの力量を広く伝えるチャンスでもあります。K-POPの人気や、ヒップホップアイドルの登場によって、多くの韓国ヒップホップアーティストが新たに脚光を浴びているのも事実です。とくに、外国ではアイドルやK-POPがインディーズやマイナージャンルの音楽をリードしています。
キム・ボンヒョン　同感です。すべてのことに当てはまりますが、レベルと視点をどこに置くかによって、判断の仕方が変わります。そういうポジティブな変化を見逃さないようにしたいですね。
キム・ヨンデ　話題をBTSに戻しましょう。いまはだいぶ変わりましたが、デビュー後しばらくのあいだ、韓国のアンダーグラウンドヒップホップのコミュニティは、BTSに冷ややかな視線を向けていました。コミュニティには、ミュージシャンとファン、両方がふくまれます。なかでも、キム・ボンヒョンさんのPodcastの番組『ヒップホップ招待席』でのハプニング★は、象徴的といえるでしょう。表

★ 2013年、BTSメンバーとともに公開収録に参加したラッパーのB-FREEは、BTSがアイドルとしてデビューしたことにたいし「同じ道を行くことができた人たちだが、誘惑に勝てなかった」などと揶揄した。

には出ていないけれど、実際はBTSを叩く意見がすごく多かったと聞いています。ヒップホップシーンでは、まだBTSを批判的に見る傾向があると思いますか。

キム・ボンヒョン　いまはかなり少なくなりました。そして、私はこんな現実にアイロニーを感じています。たとえばRMやSUGAはデビュー当時、いまよりもっと「ヒップホップ的」なスタイルで、すでに優れたラップスキルをもっていた。だから、私はBTSがデビューした当初から、彼らを包むアイドルというイメージとは関係なく、実力をフェアに評価しようと努力しました。でも、ヒップホップコミュニティから聞こえてくるのは、私にたいする悪口ばかり。「アイドルのケツをナメている」のような。ところが現在、BTSが世界でトップのスターになり、彼らの態度は一変しました。苦々しいですね。

キム・ヨンデ　アイドルグループではなくラッパーとしてみた場合、BTSのラップラインの実力をどうとらえていますか。信頼を得るためには、そこが一番重要だと思うのですが。個人的には、RMはバリトンで重みのある声質のためか、アメリカの古典的なラッパーから韓国のヒップホップにいたるまで、幅広く影響を受けているように感じます。一方SUGAは、歌詞もトーンも、Dynamic Duo [1999年に結成された男性ヒップホップデュオ] をはじめとする韓国のラッパーにインスパイアされているような印象を強く受けます。

キム・ボンヒョン　RMは最初から圧倒的なスキルをもっていました。BTSの「Cypher」シリーズや、彼のソロ・ミックステープを聴けばわかりますが、SUGAも同じです。RMよりもっと荒削りな感じがあるけれど（ネガティブなニュアンスではなく、スタイルが異なるという意味）、SUGAもデビュー当時からすでにラップの実力は相当なものでした。何度もいいますが、私は最初からこの2人のラップがすごく良いと思っていました。

キム・ヨンデ　BTSの音楽には、ヒップホップを加味したダンス曲もありますが、「Cypher」シリーズや最近のアルバムには、「Outro: Her」や「Outro: Tear」のように正統派のラップに近いものも存在します。彼らの音楽のなかで、ヒップホップとしてもっとも印象的な曲は？

キム・ボンヒョン　「Cypher」シリーズは全部好きです。なかでも「BTS Cypher PT.3: KILLER」が一番気に入っています。心の底から湧きでるむきだしの怒りを歌っている。この曲は、韓国の男性アイドルグループにおけるもっとも「レベルが高かった」瞬間、一番「ヒップホップ的な」瞬間として記録に残るでしょう。

キム・ヨンデ　BTSの成功には、PdoggやSupreme Boiのようなプロデューサーが果たした役割も重要だったと思います。彼らはほかのアイドル歌手を手がけるプロデューサーとは異なり、オールドスクール・ヒップホップを深く理解し、それをベースにさまざまな音楽のトレンドを取り入れるのが特徴です。ヒップホップ・コラムニストとして、彼らのプロデューサーとしての手腕やスタイルをどのように評価していますか。

キム・ボンヒョン　Pdoggはプロデューサーである以前に、すごいヒップホップマニアです。Pdoggと話せば、80〜90年代のアメリカのヒップホップについてかなり広く深く理解していると、すぐにわかります。Pdoggはトレンドを追い続け、BTSの音楽に盛り込みました。たとえば「Go Go」の場合、歌詞がかなり話題になりましたが、アメリカのヒップホップをよく聴く人なら、当時流行していたサウンドの影響を受けていると気づくでしょう。2018年の初めにPdoggと電話で話した時、彼はBTSの曲とプロデュースについてこう語りました。「BTSの音楽のベースは、ヒップホップだ。だが、時間が経つにつれ、自然にポップスへと境界を広げていった。BTSの音楽をつくる基準は「グローバルスタンダード」に合わせること。韓国のグループだからといって韓国的な要素を強調しようとせず、逆にアメリカ人が好むことをわざと取り入れようともしなかった。時代や世界の普遍的な基準がどこへ向かっているのか。それをつねにキャッチしようとしていたんだ」。

キム・ボンヒョン

音楽評論家といわれるが、本人はヒップホップジャーナリストという肩書をより好む。『ヒップホップ：ブラックはどのように世界を占領したのか』（クルハンアリ）、『韓国ヒップホップエボリューション』（ウォルブック）など、ヒップホップ関連書籍を数冊執筆、翻訳。ソウルヒップホップ映画祭を開催し、ヒップホップドキュメンタリー映画『リスペクト』を企画した。

BTS: THE REVIEW

2 COOL 4 SKOOL

（2013年、シングルアルバム）

BTSの最初のステップは、意外にもトレンディなヒップホップビートやEDMではなく、80〜90年代スタイルのスクラッチを織り交ぜた、オールドスクール・ヒップホップを取り入れたものだった。2010年代の序盤からヒップホップは、アメリカの音楽シーンにおいてメインストリームの隅々まで深く浸透しはじめた。韓国のポピュラー音楽でも、メジャー、インディーズ問わず、ヒップホップを新たなトレンドとして、続々と取り入れるようになった。BTSの

デビューアルバムをきちんと理解するためには、このようなヒップホップのブレークスルー期を迎えていたことと、BTS側がアイドル音楽のなかで差別化していきたいという野心を抱いていたことを念頭に置くべきだ。BTSは形式的には明らかに「アイドル」のフォーマットだが、彼らの音楽とスタイルのベースにヒップホップがあるのは、サウンドと歌詞からも疑いの余地はない。ミュージックビデオや、過度に激しく映るビジュアルも、やはりヒップホップの「攻撃性」を抱こうとする意志の表れである。いま思えば、彼らの音楽に初めて触れた既存のK-POPファンやアイドル音楽ファンにとって、BTSの荒削りなメッセージと攻撃的な態度は、やや唐突に見えたかもしれない。興味深いのは、最近のアイドルであれば当たり前のように備えている自分が何者であるかを証明しようとする姿勢と、ミュージシャンとしてのアイデンティティにたいする欲望を、BTSはデビューアルバムからむきだしにうたっていたということだ。それだけではない。彼らは、とりわけ粗(あら)くストレートだった。これらは明らかに新しい流れだった。だが、BTSがこの新しい時代のフロントランナーになると予想できた人はいなかった。

Track review
__ (2 COOL 4 SKOOL)

1 ▶ Intro: 2 COOL 4 SKOOL Feat. DJ Friz

Produced by Supreme Boi

십 대 이십 댈 대신해
쉽게 우리 얘길 해

10代20代を代表し
気ままに俺らの話をしよう

短くてシンプルなイントロ曲だが、「青春」と「真正性（オーセンティシティ）」というBTSのキーワードがたった一文にすべて要約されている。K-POPアイドルの音楽ではほとんど見られない、正統派ヒップホップスタイルのブレイクビーツとスクラッチの組みあわせを取り入れたのも、K-POPとしては異色である。

2 ▶ We are bulletproof PT.2

Pdogg, "hitman" bang, Supreme Boi, RM, SUGA, j-hope
Produced by Pdogg

이중 잣대와 수많은 반대
속에서 깨부숴버린 나의 한계

ダブルスタンダードと数多くの反対
なかから打ち砕いた 僕の限界

曲の冒頭に流れる速いトラップ[★]ビートとサイレンの効果音[★★]、それに続くとがったラップと怒りをふくむサビまで、すべてがオールドスクール・ヒップホップへのオマージュだ。歌詞の内容は、BTSが練習生時代からデビューまでに体験した、そしていまも経験しているさまざまな偏見と誤解について。それを時にストレートに、時に比喩的に描いている。音楽の文法という面でこの曲は、のちに登場する「BTSのプロトタイプ（原型）」といえる。

★ アメリカ南部で発生したヒップホップのサブジャンル。細かく刻んだ808ドラムビートと音楽を強く彩るシンセサイザーのサウンドを軸に、ダンス音楽の傾向が強いのが特徴。
★★ オープニングで使われるサイレン音について敢えて述べると、アメリカの伝説的なヒップホップグループ、パブリック・エネミーに由来する、ヒップホップの象徴的な効果音である。

3 ▸ Skit: Circle room talk

Produced by Pdogg

学校の「ヒップホップサークル」を舞台に想定し、BTSのメンバーを紹介する。単にプロフィールを並べて語るありきたりの方法ではなく、幼い頃の「夢」をテーマにしているのが興味深い。ヒップホップというジャンルの伝統と特性を巧みに反映している。RMとSUGAが自分たちの音楽のルーツとして、アイドルグループではなく、韓国のヒップホップグループEPIK HIGH（エピック ハイ）を挙げたのはとくに印象的だ。ヒップホップをルーツとする自分たちのアイデンティティをさりげなく強調すると同時に、音楽に「文脈」を与えた点は、注目に値する。ある意味「演出された」トークではあるが、彼らの音楽にたいする志向が垣間見える点で、自然であり偽りがない。

4 ▸ No More Dream

Pdogg, "hitman" bang, RM, SUGA, j-hope, Supreme Boi, Jung Kook
Produced by Pdogg

왜 자꾸 딴 길을 가래
야 너나 잘해
제발 강요하진 말아줘

なぜ別の道を行けと?
関係ないだろ
押しつけるのは やめてくれ

日本語歌詞｜KM-MARKIT

YOU TELL ME「何度もやれ!」
お前こそやれ!
これ以上来るな MY WAY

「Skit: Circle room talk」で夢を語っていた7人が「No More Dream」で夢が消え去った社会を鋭く批判することで、ストーリーラインが完成する。90年代、アメリカ西海岸で生まれ、ヒップホップの新たな潮流となったギャングスタラップの雰囲気を積極的に取り入れているが、「学校」をコンセプトにポジティブなメッセージを放っている点で、一般的な「ゲットー」ヒップホップ［貧民街での生々しい現実を歌った楽曲］とは異なる。むしろ90年代に「韓国歌謡の時代精神」と称されたソテジワアイドゥルの代表曲「Come Back Home」や、H.O.T.の「戦士の末裔」のようにギャングスタヒップホップの強烈なサウンドを借り、その時代の若者たちの苦悩を表現しようと試みた音楽に似ているといえる。学校という制度がはらむ不合理、夢を奪う社会にたいする苦言は、ソテジワアイドゥルの「教室イデア」を連想させるとともに、無気力な若者たちを叱咤して、彼らの発奮を促したシン・ヘチョル［90年代にソロと歌手としてダンス曲「アンニョン」などをヒットさせたあと、ロックバンドN.EX.T（ネクスト）を結成。「魔王」というニックネームで呼ばれた］の政治意識の高い歌詞を連想させるという点で、90年代の韓国ポピュラー音楽とも結びつく。

5 ▸ Interlude

Produced by Slow Rabbit

　Big Hitの責任プロデューサーPdoggとともに、その後多くの曲で活躍することになるもうひとりのプロデューサー、Slow Rabbit。「Interlude」は、Slow Rabbitの叙情的なメロディーを初めて披露したトラックだ。いくつかのシンプルなコードだけで展開するインストゥルメンタルトラックで、この曲だけで完結するというよりも、Slow Rabbitが手がけた次の曲のオープニングとしての役割を担っている。

6 ▸ Like / いいね!

Slow Rabbit, RM, SUGA, j-hope
Produced by Slow Rabbit

이젠 내 꺼도 아닌데
왜 뺏기는 것 같은지

もう俺のものじゃないのに
なぜ盗られた気がするんだろう

日本語歌詞｜KM-MARKIT

もう、俺のもんじゃないのに
なぜか I FEEL LIKE 全て無くなる ALL FROM ME

ロマンチックなR&Bナンバーであると同時に、ブルースでよく使われるマイナースケールを活用し、不思議なほろ苦さを感じるようにつくられた曲だ。旋律は、別れた恋人が幸せな様子をSNSで見て感じる複雑な感情を表す歌詞とうまく溶けあっている。みずからをヒップホップアイドルであるとうたうBTSが、叙情的なボーカルの音色と強みを初めて際立たせ、将来世界的なボーイズバンドに成長する可能性をしめした歌だ。

7 ▸ Outro: Circle room cypher

Produced by Pdogg

모두 털어줄게 거덜 나게
우린 멋져부러 허벌나게

つぶすんだ ボロボロに
キメるんだ めちゃめちゃに

BTSのシグネチャーともいえる「Cypher」シリーズの最初の曲。まだすべての面で荒削りで、巧みであると同時に中途半端な感じもする。まるで、若く血気盛んなラッパーたちのとりとめないおしゃべりのようだ。いまでは想像しがたい「ラッパー」としてのJUNGKOOKの声が聴く人を惹きつけ、最後までベストを尽くしてラップを歌おうと努力するJINのパートはファンを微笑ませる。新人ヒップホップアイドルのアルバムとして完成度が高いにもかかわらず、情熱を燃やす姿そのものが魅力的だ。ほかのアイドルの音楽が都会的で洗練されているなかで、歌詞に「大邱（テグ）」「光州（クァンジュ）」というメンバーの故郷の地方都市が登場する。敢えて飾らず気取らない魅力を堂々と表現しているのは、BTSならではだ。

8 ▸ Skit: On the Start Line (Hidden Track)

RM
Produced by “hitman” bang

절대 잊지 않을 것이다
내가 봤던 그 바다와 그 사막을

> **ぜったい忘れないだろう**
> **俺が見たあの海とあの砂漠を**

リーダーでありメインラッパーのRMのきわめて個人的な告白で、デビューを目前に控えたチームの心境を代弁した曲だ。3分に満たない小曲だが、短くない歳月を練習生として過ごすなかで感じた不安と、デビューにたいする期待と覚悟を、時にポジティブに、時にナーバスに明かす。洗練され加工されたアイドル音楽とは異なる無骨な感受性と、まるで夜明けにレコーディングしたかのような、非常にパーソナルな感情が独特の雰囲気を生みだしている。

9 ▸ 길 (Path) (Hidden Track)

RM, j-hope, SUGA, “hitman” bang, Pdogg
Produced by Pdogg

데뷔가 코앞이면 걱정 없어질 줄 알았어
달라질 게 없는 현재에 난 눈을 감았어

> **デビューの時が来たら 心配なくなると思った**
> **何も変わらない現実に 俺は目を閉じた**

前の曲のテーマを自然に受けつぐ、アルバムの最後のトラック。快活なブームバップ・スタイル（90年代にアメリカ東部で誕生した、もっとも歴史が長い古典的なヒップホップスタイルのこと）の古き良きヒップホップト

ラックに乗せて、やや重くシリアスなトーンで練習生時代からデビューまでの道のりを、メンバーそれぞれの視点で打ち明ける。BTSが信頼できるのは、このように誰かに飾り立てられた歌詞を歌うのではなく、率直な話をするところに根差している。「길（Path）」がユニークに感じられるのも、アイドルがデビューする時のときめきやポジティブな面だけを浮き彫りにするのではなく、少し控えめで落ち着いた姿勢で未来に向きあっているからであろう。

Review __ 02

O!RUL8,2?

(2013年、ミニアルバム)

デビューアルバムの『2 COOL 4 SKOOL』とくらべてみよう。音楽の軸となる基本的な要素や姿勢には一見大きな変化はないが、テーマを「夢」から「幸せ」に広げると同時に、音楽的な試みもより多様な方向に発展している。

さらに踏み込んでみよう。いまでは「学校三部作」のテーマ曲とされる「N.O」の歌詞は、詰め込み式の教育に抑圧された青春の挫折と反抗をあらわにし、90年代の韓国ポピュラー音楽と同じ流れにあるといえる。たいして、「We On」と「BTS Cypher PT.1」の怒りに満ちた態度には、自分を証明するための闘いに向きあう意志がうかがえる。それはヒップホップアイドルだけが語れる、いや、当然のごとく経験しなければならない儀式なのだ。BTSの初期の音楽は、『花様年華』シリーズのような正当な評価を得られず、彼らの音楽に共感できない人たちからしばしば揶揄される「黒歴史」でもある。だが純粋に音楽的な観点だけで論じれば、Big Hitのプロデューサー陣とBTSのメンバーが伝えようとした意図と音楽の精度において、彼らが歴然たる個性を発揮できるレベルに成長していたのは明らかだ。「Attack on Bangtan/進撃の防弾」で放つアイドル特有の才気あふれるエネルギーと魅力と、「Coffee」で披露する洗練された感受性、「Paldogangsan」の独特な実験が共存する『O!RUL8,2?』。BTSはどこへ向かうかまだわからないが、どの方向に進んでも十分な可能性を秘めている。そんな想像をかき立てるアルバムだ。

Track review
— (O!RUL8,2?)

1 ▸ INTRO: O!RUL8,2?

Pdogg, RM
Produced by Pdogg

가슴에 손을 얹고 말해봐
내 꿈은 뭐였지?

胸に手を当て 言ってみろ
お前の夢は何だった?

壮大でドラマチックなテーマと情熱的なラップの組みあわせが、これから登場するBTSのヒップホップトラックの伝統を暗示する。とくに、メインラッパー・RMのアーティストとしてのアイデンティティが徐々に芽生えはじめた曲として意味がある。「夢」の存在と夢を見る理由を問うという点で、デビューアルバムで意識したテーマの延長線上にある曲だ。

2 ▸ N.O

Pdogg, "hitman" bang, RM, SUGA, Supreme Boi
Produced by Pdogg

더는 나중이란 말로 안 돼
더는 남의 꿈에 갇혀 살지 마

もう「あとで」なんてやめろ
もう他人の夢に閉じ込められて生きるのはダメ

日本語歌詞｜KM-MARKIT

出来ないんだ もう「後に」なんて
今が光るようにLIVE YOUR LIFE

幸せの意味にせまり、いかに主体的に生きるべきか問題提起をしている。学校三部作の核心的なテーマ曲で、BTSのデビュー初期のキャラクターを明確にする代表曲として評価できる。荒削りな雰囲気とトラップビート、ストリングスパートの調和が少し「粗野な」感じを与える。見方を変えれば、そのようなユニークな特徴が、BTSをK-POPシーンにおいて特別な存在にしたともいえる。「No More Dream」にも重なる、夢を奪って選択の余地を与えない学校という制度下で感じる挫折というテーマは、リリースから時を経てもなお若者たちの心に響く。

3 ▶ We On

Pdogg, RM, SUGA, j-hope
Produced by Pdogg

Uh 논란되는 실력 , 날 속단하긴 일러
I'm killa 잭 더 리퍼 날 세운 혀로 널 찔러
I'm illa 난 게을러도 너보다는 바빠 , 찔려 ?

Uh 議論の的になる実力、俺を判断するのはまだ早い
I'm killa ジャック・ザ・リッパー 鋭い舌でお前を刺す
I'm illa 俺はナマケモノ でもお前よりは忙しい、図星だろ?

「We are bulletproof PT.2」と同様に、自分たちに不当な批判をする人びと、とりわけ「ヒップホップアイドル」というコンセプトが気に入らない人たちにたいする怒りを表出させる。「No More

Dream」の延長線上にあるヘヴィなヒップホップサウンドを中心に、音楽的な装飾を最大限に排除し、ドライで鋭いラップを聴かせる。抑えたトーンでヘイター［他人の成功や才能に嫉妬し批判する人］を叱りとばすRMと、荒い言葉で怒りをあらわにするSUGAが対照的だ。このような理性と感性のブレンドがBTSの音楽、とくにラップパートの深い魅力を生みだす。

4 ▶ Skit: R U Happy Now?

Produced by Pdogg

「練習生の時に夢だったこと」を叶えた現実に満足し、幸せを感じるべきだという、シンプルな結論。しかし、そんなごく当たり前の喜びを、誰もが忘れてしまいがちだ。彼らの声にあらためて耳を傾けたい。

5 ▶ If I Ruled The World

Pdogg, RM, SUGA, j-hope
Produced by Pdogg

말도 안 된다는 걸 아는데
불러보는 철없는 노래

> **ありえないって わかってるけど**
> **歌ってみる バカみたいな歌**

いつからかヒップホップを象徴するようになった「スワッグ」［独自のスタイルに自信をもった態度］が色濃く表れ、威勢良く愉快なメッセージが込められた曲。「If」という仮定法を使って夢について語ったあと、音楽にたいするピュアな感情で締めくくっているのが、K-POPのヒップホップアイドルらしく「健全」だ。オールドスクール・ヒップホップの強い影響がふたたび現れるこのトラックは、90年代序盤にロサンゼルスで流行したGファンクを取り入れている。

6 ▸ Coffee

Urban Zakapa, Pdogg, Slow Rabbit, RM, SUGA, j-hope
Produced by Pdogg, Slow Rabbit

이별은 쓰디쓴 아메리카노
아직도 추억은 여전히
그 카페로 가고 있어

別れはひどく苦い アメリカーノ
いまでも想い出は ずっと
あのカフェを 訪れている

BTSのディスコグラフィーにおいてはどちらかといえば少ない、100％ピュアなラブソング。別れた恋人との関係をコーヒーにたとえたシンプルな歌詞。ほろ苦い気持ちをコーヒーのイメージに重ねたリリックと、エレクトリックギターの音色でロマンチックな雰囲気を強調したサウンドが特徴的だ。

7 ▸ BTS Cypher PT.1

Supreme Boi, RM, SUGA, j-hope
Produced by Supreme Boi

힙부심 부려봐 내게 느끼는 무력감
질투심 숨겨라 니 아이피 다 보일라

俺を倒せ お前なんかに打つ手なし
ジェラシー隠せ IPアドレス丸見えさ

「BTS Cypher PT.1」は、ヘイター（アンダーグラウンドラッパーであれ、ヒップホップファンであれ）に向けた、ヒップホップアイドルの反撃の曲だ。人気の高い「Cypher」シリーズの第1弾。ラッパー、しかもアイドルラッパーがアンダーグラウンドシーンを挑発しているのが、音楽史的にも興味深い。BTSの音楽に不慣れなリスナーは、このような挑発をやや唐突に思うかもしれないが、ウィットに富んだカウンターパンチには、強烈なカタルシスを感じるはずだ。

8 ▸ Attack on Bangtan / 進撃の防弾

Pdogg, RM, SUGA, j-hope, Supreme Boi
Produced by Pdogg

우리가 누구?
진격의 방탄소년단
우리가 누구?
겁 없이 집어삼킨다

俺たちは誰?
進撃の防弾少年団
俺たちは誰?
臆することなく奪いとる

日本語歌詞｜KM-MARKIT

> **（俺たちは?）**
> **進撃の防弾少年団!**
> **（俺たちは?）**
> **恐れないWE GO AND BANG!**

ヴィンテージ感あふれる16ビートとブラスのハーモニー、そしてソウルフルなメロディーが折り重なるレトロなヒップホップトラック。タイトルどおり、BTSの「出陣」を告げるライトなスワッグがこの曲の魅力でありポイントだ。レコーディングされた音源よりも、ステージでさらに輝く曲でもある。

9 ▸ Paldogangsan

Pdogg, RM, SUGA, j-hope
Produced by Pdogg

Why keep fighting
결국 같은 한국말들
올려다봐 이렇게
마주한 같은 하늘

> **Why keep fighting**
> **結局 同じ韓国語**
> **見上げてみろよ こんなふうに**
> **向きあっている 同じ空**

アイドル音楽だけでなく、ヒップホップシーンのなかでもめずらしい、方言でたたみかけるようにラップする曲だ。洗練されたカッコよさを前面に出して地方色を隠すのが一般的なアイドル音楽だが、

BTSはローカルなアイデンティティを大胆かつ堂々と表現している。生まれた場所や育った環境、社会の片隅で生きてきた感情を赤裸々に明かすことを、彼らはデビュー当時から大事にしてきた。同時にそれは、各自のルーツに重きを置くアメリカのヒップホップを、韓国でも見事にやってのけることでもある。この試みは、各地の方言をただ並べ立てるのではなく、それぞれの方言のイントネーションやニュアンスをラップの文法にうまく乗せている点で、重要な意味をもつ。RMが標準語を使う「仲介者」として登場しているのもユニークだ。地方色を強調するだけでなく、和解のメッセージを伝えるポジティブな音楽といえる。

10 ▸ OUTRO: LUV IN SKOOL

Slow Rabbit, Pdogg
Produced by Slow Rabbit, Pdogg

가시나야 내랑 사귈래？

ねえ、俺と付きあわない?

90年代風のスロージャム（官能的でスローなR&Bジャンルの音楽）がかもしだすロマンチックな雰囲気を忠実に再現した曲で、BTSボーカルラインのR&B歌手としてのポテンシャルが垣間見えたトラックでもある。同時代のほかのボーイズバンドとくらべると、最新のスタイルを取り入れ、かつボーカルのスキルが高く、陳腐な印象が一切ない。

SKOOL LUV AFFAIR

（2014年、ミニアルバム）

『SKOOL LUV AFFAIR』は学校三部作の最終章で、前2作で披露したさまざまな音楽的な試みが、より納得できるかたちで、ある意味さらに大衆的な方向へと発展したアルバムだ。キーワードが、「夢」や「幸せ」といった観念的で哲学的なものから、「愛」という、より現実的なテーマに変化したためかもしれない。

一般的には「ヒップホップアイドル」という形式はいまだよく知られていなかったが、『SKOOL LUV AFFAIR』は、かなり親しみやすく、幅広い人たちに受け入れられる内容だった。

「Boy In Luv」は、BTSのほとばしるエネルギーを凝縮して表現しただけでなく、ストレートなメッセージを聴きやすい音楽に乗せ、商業的にも成功した。一方、「Just One Day」は、既存のK-POPアイドルファンの好奇心を刺激するのに十分なトレンド感を盛り込んだトラックだ。同時に、かすかなリリシズムとフレッシュなイノセンスが、従来のヒップホップ、あるいはアーバン・ミュージックをベースにしたグループとは異なる、ソフトなニュアンスを与えている。いずれにせよ、本アルバムで最高の曲は、やはり「Tomorrow」だ。文学的で美しい歌詞とドラマチックなメロディーが卓越したハーモニーをなし、BTSのキャリア初期において、もっとも忘れがたい瞬間を盛り込んだプレゼントのようなアルバムだ。

Track review
__ (SKOOL LUV AFFAIR)

1 ▸ Intro: Skool Luv Affair

Pdogg, Slow Rabbit,RM, SUGA, j-hope
Produced by Pdogg

사랑할 땐 한 번도 상처받지 않은 것처럼
내 모든 걸 앗아간대도 더 줄 것처럼

愛に一度も 傷ついたことがないみたいに
俺のすべてを奪われても もっと多くのものをあげよう

異なる3つのビートを生かしてメンバーの個性を表現しつつ、前のアルバムの最後のトラック「OUTRO: LUV IN SKOOL」と自然に結びつけたのは、機転が利いている。Big Hitのプロデューサー陣が、サウンドメイクから具体的なビート選択にいたるまで、大きな全体像を描きながらアルバムを制作している証だ。学内での恋愛というみずみずしい雰囲気をベースに、変化するビートに合わせてラップスタイルと愛についての歌詞の内容をマッチングさせる繊細さが際立っている。

2 ▶ Boy In Luv

Pdogg, “hitman” bang, RM, SUGA, Supreme Boi
Produced by Pdogg

되고파 너의 오빠
너의 사랑이 난 너무 고파

なりたいんだ お前の彼氏に
君の愛に 俺はすごく飢えている

日本語歌詞｜KM-MARKIT

会いたいんだ
愛したいんだ
その愛がもう今見たいんだ

デビュー以来ずっと続くオールドスクール・ヒップホップへの関心を、あらためて確認させる曲。ディストーション★をかけたハードロックギターのトーンは、80年代のヒップホップの名曲、なかでもアメリカのラン・ディーエムシーの「ウォーク・ディス・ウェイ」のようなラップロックを想起させる。ヴァース［サビの前に配置された序奏パート］からサビまでの展開と主なメロディーの特徴、堂々として力強い全体的な雰囲気も、ヒップホップというよりはハードロックに近い。

★ 映像および音声信号を電気信号に変えてさまざまな効果を演出する「エフェクター」で歪めた、エレクトリックギターのサウンドを意味する。

3 ▸ Skit: Soulmate

Produced by Pdogg

아 뭘 해야 될지를 모르겠어 스킷

ああ、スキットで何をやれば良いんだろう

スタジオでの自然な姿をキャッチしたもの。

4 ▸ Where You From

Cream, 한결, RM, SUGA, j-hope
Produced by Layback Sound

나는 부산에서 너는 광주에서
왔지만 똑같아 우리

俺は釜山 お前は光州
違う街から来たけど 同じだよ俺たち

初めて方言ラップにトライした「Paldogangsan」が地域同士の和解をテーマにしていたとすれば、この曲は生まれ故郷に関係なく偽りのない愛を願う人たちの心を代弁する曲だといえる。音楽的には、洗練されたアーバンヒップホップのサウンドに方言を乗せたミスマッチが斬新だ。シンセサイザーのにぎやかな音色と、後半部を豊かに彩るハーモニーが魅力的だ。

5 ▸ Just One Day

Pdogg, RM, SUGA, j-hope
Produced by Pdogg

하루만 너와 내가 함께할 수 있다면
하루만 너와 내가 손잡을 수 있다면

一日だけ お前と俺が一緒にいられたら
一日だけ お前と俺が手を握れたら

日本語歌詞｜KM-MARKIT

JUST ONE DAY
君と2人いれるなら
JUST ONE DAY
君と手を繋げるなら

ミニマルでライトなサウンドと実直で切ない歌詞との出会いが、BTSのもっともソフトで繊細な一面を引きだす。ヒップホップビートを活用しながら、ドラムとベース、キーボードなど、曲のすべての要素が見事に整えられている。とくに後半、ビートを排し、ボーカルのハーモニーをアドリブでよどみなくつないでいく部分が美しい。「ヒップホップアイドル」ではない、「ボーイズバンド」としての柔らかくロマンチックな魅力を前面にアピールした、レアな曲だ。

6 ▸ Tomorrow

SUGA, Slow Rabbit, RM, j-hope
Produced by SUGA, Slow Rabbit

갈 길은 먼데 왜 난 제자리니
답답해 소리쳐도 허공의 메아리

道は長いのに なぜか俺は足踏みばかり
もどかしくて叫んでも 虚空にこだまするばかり

SUGAがデビュー前に作曲したものを、修正してリリースした曲。挫折のなかで希望を見いだすというテーマと、叙情的、悲劇的な雰囲気が絶妙なバランスを保っている。1節目のあとの間奏が与える不思議な余韻、ボーカル同士のあざやかな対比（とくにエフェクトを加えたVの声が聞こえるパート）、そして後半に登場するギターの熱くほとばしるようなサウンドが魅力的だ。BTSの隠れた名曲のひとつ。

7 ▸ BTS Cypher Pt. 2: Triptych

Supreme Boi, RM, SUGA, j-hope
Produced by Supreme Boi

난 니 음악의 커리어
동맥에 마침표를 그어

俺は お前の音楽キャリア
動脈に ピリオドを打つ

BTSにとって「Cypher」シリーズは、ヘイターにたいする怒りと、本物のヒップホップにたいする野心という2つの動機が重なる時、その本質を現わす。自分を叩く人たちの存在と向きあうことは、ヒップホップグループをうたう者として、望まずとも避けられない宿命だ。同時に、アイドルグループという細かく定められたコンセプトから抜けだし、音楽的な停滞を回避することでもある。Supreme Boiのビートに乗るラッパーたちは、スキルや鋭さなどすべてにおいて前作よりも実力がワンランクアップした。彼らを批判するアンダーグラウンドラッパーたちにたいする攻撃がさらにはっきりと、とくにSUGAのラップパートで鋭く具体的に表現されている。

8 ▶ Spine Breaker

Pdogg, OWO, RM, SUGA, j-hope, Slow Rabbit, Supreme Boi
Produced by Pdogg, OWO

But 난 내 할 일은 잘해
부모님 등골 안 부숴
진짜 브레이커는
나이 먹고 아직도 방구석인 너

But 俺はすべきことはちゃんとやる
親の背筋 へし折らない
ガチなブレーカーは
いまだ引きこもりの お前

ウォーレン・G、ドクター・ドレに代表される90年代のウエストコーストサウンドにインスパイアされたヒップホップ曲。低音を生かしたVのボーカルも、かつてGファンクで流行したネイト・ドッグのようなヒップホップ歌手をモデルにしている。「Spine Breaker」というタイトルは、韓国の中高生のあいだで発生した高価なダウンジャケットの大流行を揶揄したネット用語。親たちの経済的な「背筋」が破壊されるとささやかれるほどの社会問題に発展した。BTSは、分別のない若者たちと彼らをそうさせた社会を批判し、自分なりの判断基準をもてずに親に頼る人は、まさに背筋ブレーカーだと責めている。

9 ▸ Jump

SUGA, Pdogg, Supreme Boi, RM, j-hope
Produced by SUGA, Pdogg, Supreme Boi

단 하루를 살아도
후회는 절대로 없다고
한번 뛰어보자고

一日だけの命だとしても
後悔は絶対しない
一度ジャンプしてみよう

日本語歌詞｜KM-MARKIT

何が起きても
後悔しないさ! 上へと
行くぜ、さあとばせもう!

興味深いことに、この曲は90年代に大ヒットしたアメリカのヒップホップグループ、クリス・クロスの「ジャンプ」にサウンドと編曲が似ている。アルバム『SKOOL LUV AFFAIR』を紹介する資料には、ヒップホップのプロデューサー、ジャーメイン・デュプリについて書かれている。彼こそがクリス・クロスを発掘してプロデュースした人物だ。このようにオールドスクール・ヒップホップあるいはラップのサウンドをレファレンシング★しつつ、途中でダブステップ★★の編曲に切り替えて現代的なサウンドへと展開をはかり、よりK-POPらしい曲にまとめている。ダブステップに移ったあとに炸裂するラップラインのパフォーマンスが、BTSのアイデンティティをはっきりと表している。

★ 特定の曲を参照して、雰囲気やメロディーといった一部の要素を似せる手法。
★★ 90年代末英国で発達した実験的なエレクトロニック・ダンス音楽。

10 ▶ Outro: Propose

Slow Rabbit, Pdogg
Produced by Slow Rabbit

조금 어색했었지만
이젠 다 주고 싶어

少しぎこちない関係だったけど
いまはすべてをあげたいんだ

ミディアムテンポのヒップホップビートをベースにした、とても古典的で叙情的なR&Bの曲。いつもアルバムのアウトロはラップラインが担当していたが、今回はボーカルラインが主役だ。学生時代のさわやかでスイートな恋のメッセージがアルバム全体を包み、自然なかたちで結部を飾っている。

SKOOL LUV AFFAIR SPECIAL ADDITION

（2014年、リパッケージアルバム）

Track review
— (SKOOL LUV AFFAIR SPECIAL ADDITION)

11 ▸ Miss Right

Slow Rabbit, RM, j-hope, SUGA, "hitman"bang, Pdogg
Produced by Pdogg

그래 청반바지와
흰 티에 컨버스 하이 하나

そう デニムのショートパンツと
白Tシャツにコンバース ハイカット

日本語歌詞｜KM-MARKIT

デニムのショートパンツと
白Tにコンバースのハイ

BTSの初期の曲のなかで、もっともなめらかでロマンチックなビートをもつ、上質なプロデュースによるウェルメイドトラックだ。メーンのコード進行がくり返され、ビートとボーカル、ラップが自然に溶けあう。のちに『花様年華 pt.1』でひとつの曲としてかたちになる「コンバース ハイカット」への愛情が、この曲で初めて表現されている。

12 ▸ Like / いいね！ (Slow Jam Remix)

Slow Rabbit, RM, j-hope, SUGA, Pdogg, Brother Su
Produced by Brother Su, Pdogg

リズム感が強調された原曲とは異なり、リミックスバージョンの「Like/いいね！」はスロージャム。しっとりと心地良いグルーヴが強調されているのが特徴だ。

Review — 04

DARK & WILD

（2014年、フルアルバム）

ストーリーとテーマから、学校三部作の延長線上にあるととらえるべきアルバム。その後すぐにリリースされる「青春三部作」〔＝『花様年華』シリーズ〕を予感させる、過渡期の作品だ。作曲とサウンドの面でも学校三部作の完結編、もしくはエクステンデットバージョンと特徴づけられる。「学校」というテーマを超え、少年から成熟した大人になるまでに経験する、心のざわつきを様々なかたちで表している。

アルバムの歌詞と姿勢に強調される最大のテーマは、伝統的な意味での「男らしさ」である。このコンセプトはアルバムの前半でとくに際立ち、表現もかなりストレートだ。学生から脱皮した青年の初々しい心と愛にたいする焦(あせ)りこそが、まさにアルバムのタイトルである『DARK & WILD』な男の感性だと解釈しているのだろう。ロックを果敢に投入したサウンドは、これまで以上にシャープでエッジが立っている。この方向性をもっとも反映しているのが「Danger」と「War of Hormone/ホルモン戦争」だ。ジャンルと編曲のディテールには違いがあるが、ヒップホップという大きな枠組みのなかにロックの荒々しいエレキギターのサウンドを溶け込ませ、歌詞に書かれた男らしさがさらに明確になっている。

もうひとつ注目すべきは、アーバンR&Bジャンルの曲が存在感を高めていること。これはK-POPシーン全体のトレンドの変化に合わせたものだが、ボーカルラインが経験を積んだ結果ともいえるだろう。フルアルバムに全力を注いだためか、わずか約1年のあいだに、パフォーマンスのディテールに明らかな成長が感じられる。ラップのテクニックはデビュー当時よりもずっとシャープになり、ボーカルも洗練され、なめらかになった。にぎやかな学園祭のような雰囲気だった学校三部作にくらべると、ラップとボーカルそれぞれが、自分の役目を忠実に果たしている。とくにラッパーたちの個性が突出している。

Track review
— (DARK & WILD)

1 ▸ Intro: What am I to You

Pdogg, RM
Produced by Pdogg

널 이기고 싶던 건 아니었지만
계속 지고 싶지도 않았어

> **君に勝ちたくなかったけど**
> **負け続けたくもなかった**

学校三部作を卒業したBTS。初めてのフルアルバム『DARK & WILD』は、未熟な恋に破れて挫折した青年の物語で幕を開ける。ときめきと混乱が交錯する心を徐々に高まるストリングスで表現し、RMの炸裂するラップが絶望した男の感情を吐きだす。曲の半ばでは、独特のコードワークで乱れた気持ちを描写する。そして、とらえどころのない葛藤に陥る語り手が、愛する相手を恨むように「俺は一体君にとって何なんだ」と叫ぶクライマックス。男らしいメッセージだが、必死に懇願しているようにも見える。とどのつまり、アルバムのタイトル通り『DARK & WILD』な自我を標榜しながらもコントロールできない「愛」と、解決策を見いだせずにうろたえる自分の弱さについて語っている曲だ。

2 ▶ Danger

Pdogg, Thanh Bui, “hitman” bang, RM, SUGA, j-hope
Produced by Pdogg

넌 내가 없는데
난 너로 가득해 미칠 것 같아

君には俺がいないのに
俺は君のことでいっぱいで 気がおかしくなりそうだ

日本語歌詞｜KM-MARKIT

君がいなくて
でも会いたくて 壊れそう

ビートボックスで啖呵（たんか）を切るこの曲は、ニュー・ジャック・スウィング（ヒップホップの影響を強く受けたR&B）風のダンスにヘヴィなロックのサウンドが結びつき、まるでアルバム『デンジャラス』をリリースした頃のマイケル・ジャクソンを連想させる。ボーカルが担当するBパートが、ラップパートの攻撃的な雰囲気を和らげ、曲を叙情的な感性で包む。やがてふたたび激しいサビに移行する、ロジカルで密度の高い構成をもつ。対照的なのがメンバーのみずみずしい魅力にスポットを当てた歌詞とミュージックビデオ。この絶妙なアンバランスさが、流行や洗練といったものとは異なる、素朴で無垢な、原石のような印象を残す。こうした果敢な試みは、アルバム『WILD & DARK』の特徴で、デビュー初期のBTSの一貫した魅力でもある。ラップラインの手堅いパフォーマンスとJINのセンチメンタルなボーカル、官能的な雰囲気を表現するJUNG KOOKのテクニックが曲を見事に生かしている。

3 ▸ War of Hormone / ホルモン戦争

Pdogg, Supreme Boi, RM, SUGA, j-hope
Produced by Pdogg

호르몬과의 싸움 이겨낸 다음
연구해 너란 존재는 반칙이야 파울

ホルモンとの戦い 勝ったら次は
研究をする 君という存在は反則だ ファウル

日本語歌詞｜KM-MARKIT

ホルモンとの戦争に勝って検証
してみても君は反則さ結局

ヘヴィロックのギターサウンドに乗せたスクラッチとラップは、80年代序盤にアメリカとイギリスで生まれたラップロック（ロックとヒップホップを融合させたサブジャンル）の全盛期を想起させる。アルバムのなかで、もっともサビが際立つ曲で、異性に関心をもつ10代の青年の心を臆(おく)すことなく描写している。歌詞はもちろん、ロック特有の挑戦的なサウンド、過激で荒削りなリズム、未精製なエレメントなどは、学校三部作とヒップホップアイドル時代の終わりを象徴しているかのようだ。以後、BTSの音楽とコンセプトは劇的に変化していく。

4 ▸ Hip Hop Phile

Pdogg, RM, SUGA, j-hope
Produced by Pdogg

여전히 내 심장을 뛰게 해
내가 진짜 나이고 싶게 해

いまも俺の心臓を高鳴らせ
自分らしくいたいと思わせる

ドラムマシーンで始まるアップテンポなトラップのリズムと、生意気なタイトル。しかし、第一印象とは裏腹に、ヒップホップにたいする彼らのピュアな気持ちをストレートに堂々と打ち明けた、意表を突く曲だ。BTSにとって「ヒップホップアイドル」という言葉は単なるコンセプトではなく、彼らのDNAを構成する本質だと強調している。代表曲とはいえずとも、重要なテーマをふくむトラックだ。RMが ヒップホップの栄光の時代を彩る偉大なラッパーの名を次々と挙げ、SUGAがヒップホップにたいする深い愛情を告白する。ラッパーとして成熟をアピールするJ-HOPEのパートまで、すべてのフレーズにじっくり耳を傾けたい。ヒップホップをこのようにピュアにたたえるアイドル音楽はまれで、だからこそBTSの音楽は特別なのだろう。サビのファルセットが生みだすボーカルラインの美しいハーモニーも、この曲の魅力だ。

5 ▶ Let Me Know

SUGA, Pdogg, RM, j-hope
Produced by SUGA, Pdogg

미련이 마침표 앞에서
버티고 있어

未練がましい気持ちが 終わりを前に
必死に耐えている

日本語歌詞｜KM-MARKIT

未練だけが独り残る ただ

だから聞かせて欲しい もう

「Tomorrow」に続き、SUGAのプロデュース力が光る。ドラマチックで構成もまとまっていて、このアルバムのなかで一番印象深いトラックだ。顧みれば、この曲の美しい旋律とエモーショナルな雰囲気は、ほどなく到来する『花様年華』の時代を予告しているようだ。冒頭を飾るVの抑えつつも存在感を発揮するボーカル、JUNG KOOKの繊細で隙のないテクニックで歌うサビ、そしてJIMINの華やかな高音のスキャットとボーカル。さまざまな魅力が盛り込まれたサウンドは、聴く人を満足させる。メンバーを絶妙に配し、感情が高まっていく流れを見事に編曲で表現した「Let Me Know」は、『DARK & WILD』時代を代表する名曲といえるだろう。

6 ▸ Rain

Slow Rabbit, RM, SUGA, j-hope
Produced by Slow Rabbit

저 비가 그쳐 고인 물 위에 비쳐진
오늘따라 더 초라한
내가 그려지네

雨がやみ 水たまりに映った
今日にかぎって みすぼらしい
俺の姿が描かれる

ブルーノート（ジャズやブルースなどで使用されるメジャー・スケール。第3音、第5音と第7音を半音下げて演奏する）を奏でるジャズピアノと、ジャズのサンプリングなどをヒップホップビートにミックスした、典型的なジャズヒップホップ。このスタイルは、このあと何度も使われ、「BTS

サウンド」のひとつの軸になる。「雨」も、のちに彼らの音楽、とくにRMの歌詞にしばしば登場するテーマだということを心に留めて聴いてほしい。雨のイメージとジャズの都会的なイメージがオーバーラップし、ソウルという大都市のもつ孤独や寂しさ、憂鬱さを連想させる曲。

7 ▶ BTS Cypher PT.3: KILLER (Feat. Supreme Boi)

Supreme Boi, RM, SUGA, j-hope
Produced by Supreme Boi

난 비트 위에서 당당해
넌 거진 다
주머니와 없는 실력까지 가난해

俺はビートの上で堂々と
お前はそもそも
財布も実力もからっぽだ

はっきりとしたテーマ意識、鋭いメッセージ、歯に衣着せぬ攻撃性、巧みなテクニックなど、あらゆる面でBTSの「Cypher」シリーズの頂点を極めたといえる曲。狙いを定めた刃(やいば)は、ミニアルバムの時代よりもずっと研ぎ澄まされた自我によって、鋭さを増している。「Cypher」シリーズのほかのトラックでも同様だが、この曲を初めて聴いた人は、歌詞の内容に疑問を感じるかもしれない。しかしBTSが、世界のトップに立つボーイズバンドになる前は、アイドルグループとして無視され批判されていたことを鑑みれば、なぜ彼らが攻撃的な姿勢を見せていたのか納得できるだろう。「アンダードッグ」(弱者)だが、押さえつけられた怒りとコンプレックスをラップで吹き飛ばす。それは「Cypher」シリーズのみがもたらす、刺激的なカタルシスだ。

8 ▸ Interlude: What are you doing now

Produced by Slow Rabbit

「BTS Cypher PT.3」がアルバム前半のアウトロであるとすれば、この「Interlude」は後半のイントロのような曲だ。90年代のウエストコーストヒップホップ、あるいはGファンクのビートをモデルにしている。

9 ▸ Could you turn off your cell phone

Pdogg, RM, SUGA, j-hope
Produced by Pdogg

소통은 많아졌지만
우리들 사이엔 시끄러운 침묵만

> **コミュニケーションは増えたけど**
> **俺達のあいだにはうるさい沈黙ばかり**

ヒップホップにたいする献身的な思いや自己証明とともに、BTSの初期の歌詞のなかで重要な部分を占める「社会への批判」が込められた曲。アルバム全体の雰囲気と同様、表現は荒削りだが、成長中のアーティストらしい大胆でストレートなエネルギーを感じられる。社会に異議申し立てをする内容の歌詞とは対照的なふわりとしたビートとなめらかなボーカルが、曲をソフトな印象にしている。

10 ▸ Embarrassed

“hitman” bang, Shawn, Slow Rabbit, Pdogg, RM, SUGA, j-hope
Produced by “hitman” bang, Shawn, Pdogg

왜 그랬을까 머리는 빙빙
죄 없는 이불만 차 킥킥

> **どうしてあんなことをしたのか 頭がぐるぐる**
> **罪なき布団を蹴飛ばす キックキック**

クリーントーンのエレキギターが奏でるさわやかなビートが、この曲を特別なものにしている。若者だけが感じるロマンスの繊細な感情を歌う、音楽的にも欠点がなく必要な要素を適切に盛り込んだ、完成度の高いトラックだ。SUGAのラップとボーカルラインのファルセットのバランスが絶妙で、シンプルでスタイリッシュなメロディーも心地良い。

11 ▸ 24/7=heaven

Pdogg, Slow Rabbit, RM, SUGA, j-hope
Produced by Pdogg

요즘 난 Sunday
너라는 해가 뜬 Sunday

> **この頃俺は 毎日がSunday**
> **君という太陽が昇るSunday**

サウンドとテーマが「Embarrassed」と似ているが、ヒップホップよりもボーイズバンドとしてのフレッシュな魅力をアピールしているのが特徴だ。聴きなれたコード進行を効果的にくり返し用いながら全体の雰囲気をつくり、なめらかなラップとボーカルを交互に組みあわせて、水が流れるように滑らかに展開する曲に仕上げた。JUNG KOOKがきれいなファルセットを披露するブリッジのメロディーが美しい。

12 ▶ Look here

250, Jinbo, RM, SUGA, j-hope
Produced by HOBO

너는 꽃이고 나는 벌이야
너는 꿀이고 나는 곰이야

君は花で俺は蜂

君は蜜で俺は熊

『DARK & WILD』において、もっとも編曲とサウンドが異色なトラック。だが、アルバムで唯一この曲だけがBig Hit以外のプロデューサーによってつくられたと聞けば納得がいく。DJ250とシンガーソングライター兼プロデューサーのJinboがビートとメロディーを手がけ、HOBOがプロデュースを担当。ジャンル的にはアメリカのシンガーソングライター、ファレル・ウィリアムスで知られるモータウンのレトロR&Bサウンドをモデルにしている。さらに具体的には、ウィリアムスがプロデュースしたロビン・シックのファンキーなソウルポップ「ブラード・ラインズ」をレファレンシングしている。

13 ▶ So 4 more

Pdogg, Supreme Boi, RM, SUGA, j-hope
Produced by Pdogg

선생님 여기도 수능이 있나요
1 등 하면 성공한 가수인가요

先生 ここにも入試はありますか

1位になれば 成功した歌手ですか

BTSの音楽に欠かせない特徴のひとつは、いまの心境を語る「自己開示」だ。それがこの曲には色濃く表れている。学校三部作のエクステンデットバージョンともいえる、野心に満ちた初のフルアルバムの終盤のトラック。歌詞では、大衆を先生に、彼ら自身を2年生の生徒（2年目のミュージシャン）にたとえている。アルバムをつくりながら感じたさまざまな悩みや未来への覚悟などを、ざっくばらんに盛り込んだ。編曲はトレンディなトラップビート。ややもすれば重くなりがちな雰囲気を軽快にまとめている。

14 ▶ Outro: Do you think it makes sense?

SiMo, Supreme Boi
Produced by SiMo, Supreme Boi

니가 죽을 만큼 밉지만
지금도 니 생각이 나는걸

君が死ぬほど憎いけど
いまも君のことを想ってる

アルバム『DARK & WILD』の最後の曲であり、学校三部作のフィナーレを飾るトラックだ。アウトロとしては異例のボーカルラインだけが歌う、ロマンチックで魅惑的なR&B。このジャンルは繊細で官能的なムードを強調するのが一般的だが、「Outro: Do you think it makes sense?」は、リズムとサウンドをラフなトーンで表現し、『DARK & WILD』らしさを貫いている。ロマンチックな恋の歌のように見せかけつつ、メロディーのコードと編曲には美しい切なさが漂（ただよ）う。

Review __ 05

RM

（2015年、Rap Monsterによるミックステープ）

証明。BTSのリーダーでありメインラッパーRMの、ファースト・ミックステープに込められたメッセージは、この一語に要約できる。『RM』は、彼が何者であるかを証明する過程を忠実に表現したアルバムだ。このミックステープがなぜ生まれたのか。その背景に注目するべきだ。みずから「ヒップホップアイドル」を標榜し、デビューしたBTS。アーティストの正統性に厳しいファンが多いヒップホップの世界に足を踏み入れた彼らは、逃げ場のない試練に直面した。

実力とは関係なく、「アイドル」というフォーマットは、BTSを特定のスタイルの音楽やパフォーマンスと結びつける。それは批評家が彼らを叩く格好の口実となった。

ヒップホップコミュニティの一部は、メインラッパーのRMやSUGAに批判の矛先を向けたが、ゲームは最初から彼らにとって不公平だった。このミックステープは、そのような文脈から誕生した。『RM』は「アイドルラッパーのソロ作品」というアンビバレントな枕詞とは裏腹に、肩書から「アイドル」を外し「ラッパー」だけでも十分通用するラップのスキルを披露している。ビートも彼の好みや幅広いテクニックを反映し、巧みにつくられている。

音楽的に興味深い要素も多い。テクニックの面で注目すべきは「버려 (Throw Away)」と「농담 (Joke)」だ。とくに「농담 (Joke)」はアップテンポなラップ、精巧なライム、なめらかなデリバリー(伝達力)など、Rap Monsterという名にふさわしいスキルで聴かせる曲だ。「Do You」は、学校三部作と歌詞に一貫性があるが、ここでは視点と関心をRM自身に移し、「君が本当に望むものは何だ」という人生における永遠の問いを投げかける。

ラッパーRMの最大の長所は、「多様性」と「寛容性」といえる。彼はラッパーだが、ヒップホップ至上主義者ではない。ミュージシャンであり、テクニックそのものよりはナラティブとメッセージに力を注ぐ。自伝的エッセイのような「목소리 (Voice)」は、そのような意味でもっともRMらしい、今後のミュージシャンとしての歩みを推し量ることができる曲だ。

ふたたび冒頭に挙げた「証明」というキーワードに戻ろう。RMは、アイドルであることを理由に軽んじられることのないよう、ストイックに努力する。結果、MCとして多彩なスタイルとテクニックを身につける。並のラッパーを圧倒するほどだが、彼にとっては、あくまでミュージシャンであるために必要なステップにすぎない。RMは依然としてアイドルであり、システムの枠内にいるアーティストだ。本人がそれを一番よく知っている。このアルバムで、RMその事実を隠そうとはしない。

Track review
— (RM)

1 ▶ 목소리 (Voice)

Produced by Slow Rabbit

「ひそかに俺の声のボリュームを上げる」という言葉が、この曲とアルバムのメッセージをすべて象徴しているといっても過言ではない。ミックステープの最初のタイトルが「목소리 (Voice)」であるのは、ラッパーとしての自己を証明しようという意志の表れで、その熱く静かな決意は彼のスタイルにさらなる説得力を与えている。シンプルなピアノ・ループのみで構成されるこの曲は、ラップのテクニックやアバンギャルドなサウンドを追求するのではなく、自分の話を聞かせることにフォーカスしている。ラッパーとしてのRMのアイデンティティにたいする評価を一新する、飾らずストレートなオープニングトラックだ。

2 ▶ Do You

Original Beat by Major Lazer - Aerosol Can

RMの歌詞にしばしば登場するのが、主体的な人生を送るためのアドバイスだ。彼は「自分らしく生きろ」と自由への渇望を訴え、世間が定めたルールに合わせず、自分の生き方を追求するべきだと説く。「Do You」にも、このような内容がシンプルな言葉で盛り込まれている。RMのメッセージは鋭く、時に知的で、ラップのデリバリーは変化の少ないビートのなかでも明るさを失わない。

3 ▶ 각성 (Awakening)

Original Beat by Big K.R.I.T. - The Alarm

タイトルは、何からの「Awakening」(覚醒)を意味するのか。RMはこの曲で、「アイドル vs アーティスト」というデビュー当初からの課題について、初めてはっきり言及した。彼は自分のアイデンティティを隠すことなく、率直に認める。RMは誠実さをしめしながらも、「誰が最後まで俺の手を握ってくれるのか」と問う。それは友人かもしれないし、彼を応援するファンかもしれない。曲に用いられているオリジナルビートは「The Alarm」[警告]で、このトラックのタイトルにも重なっている。

4 ▶ Monster

Original Beat by J. Cole - Grown Simba

RMが自身のステージネームを「モンスター」になぞらえて、自己紹介する曲。歌詞の一部分はヘイターにたいする反論だが、全般的にはポジティブな雰囲気だ。ラップの華やかなテクニックを聴かせるよりも、ビートのヘヴィなグルーヴとの調和を図ることに重きを置いている。

5 ▶ 버려 (Throw Away)

Original Beat by Chase & Status - Hypest Hype

荒々しいビートと強烈な歌詞が絶妙に溶けあっている。サビでは、すべての偏見を捨てるようにひたすら呼びかけ、そのほかの部分のメッセージは、非常にシンプルでストレートだ。RMらしいバリトンが、強烈なビートの上でも存在感を失っていない。

6 ▶ 농담 (Joke)

Original Beat by Run The Jewels - Oh My Darling

ラップのテクニックだけで評価すれば、「농담 (Joke)」がアルバムのなかでずば抜けている。アイドルのラッパーとしては披露できなかったスキルを見せようとするショーケースのようなトラックだ。この曲でいう「ジョーク」は、どちらかというと「ナンセンス」に近い。とりとめもない考えが次々と浮かび流れる。内容そのものに大きな意味は込められていないが、無意味な言葉遊びの連続のなかでも、時に鋭く刺さる表現が光る。

7 ▶ God Rap

Original Beat by J. Cole - God's Gift

個人的に好きなトラックだ。RMのバリトンの声がバスドラムに強調されたブームバップ・スタイルのビートとよく合い、抽象的で象徴的なテーマに取り組む彼ならではの知性が際立つ。「宗教」と「神」がテーマだが、メッセージの本質は、自分にたいする証明と信頼だ。RMのラップは、アメリカのヒップホップのスーパースター・J.コールのビートにも臆することなく、リラックスして巧みにリズムに乗っている。

8 ▸ Rush (Feat. Krizz Kaliko)

Produced by Pdogg

アメリカの有名ラッパー、テックナインが率いるレーベル、ストレンジ・ミュージックに所属するラッパー、クリッズ・カリコーとコラボして創作したトラックだ。異色なのは、RMのラップも歌詞もすべて英語だということ。肩の力が抜けたイージーリスニング風の曲調にRMの英語のラップのデリバリーがうまくブレンドされている。

9 ▸ Life

Original Beat by J. Dilla - Life

ヒップホップ史上最高のDJに名を連ねるJ.ディラ。彼の卓越したビートに乗せたRMのラップは、アルバムのなかでもっとも穏やかだ。生と死、そして孤独を深く掘り下げ、同じ時期にBTSがリリースした音楽とはまったく違うタイプの曲。音楽の内容と感性の両方にRMらしい繊細さが盛り込まれている。「生と死」「光と闇」のような二面性にたいする考察は、2つ目のミックステープ『mono.』でさらに深化していく。

10 ▸ 표류 (Adrift)

Original Beat by Drake - Lust 4 Life

RMは究極の孤独のなかで人生と幸せの真の意味について悩む自分を、海（あるいは宇宙）であてもなく漂流する存在にたとえた。すぐ前のトラック、「Life」とテーマ意識や比較的落ち着いたラップスタイルが似ている。作曲家としてRMがもつ、豊かなメロディーセンスを確認できる曲だ。

11 ▶ I Believe

Produced by Slow Rabbit

「목소리 (Voice)」についての物語から始まったアルバムは、RM自身の声にたいする信頼を語り、ポジティブに幕を閉じる。RMは、他者からの批判には鋭く反論し、みずからには懐疑的な視線を向け、人生に疑問をもつが、最後には前向きな結論にたどり着く。人びとや世間の裏切りは依然として存在するが、自分を信頼して乗り越えようと誓う彼の姿は、のちに登場するBTSの『LOVE YOURSELF』シリーズを予示しているかのようだ。

第2章

BTS
the New Model of K-POP

K-POPの新たなモデル BTS

BTSが青春の物語とその正当性によって
K-POPのオルタナティヴモデルとして脚光を浴びたのは、
『花様年華』シリーズだ。
「多くのグループのなかで、なぜBTSだったのか?」
この問いにたいする答えは過去のK-POPアーティストとは異なる
「脱アイドル」という感性と姿勢を特徴とする
彼らの音楽を分析すればすぐにわかる。
そして、BTSのファンダム「ARMY」も、K-POPに新たな時代をもたらした。

Column _ 03

「戦略なき戦略」の真相

ジャズとロックンロール、そしてヒップホップに象徴されるアメリカのポピュラー音楽は、この半世紀以上、世界の音楽市場における不動のセンターに君臨し、トレンドを一方的に広め続けている。「ポピュラー音楽」といえば、すなわち「アメリカのポピュラー音楽」のことであり、現代のポピュラー音楽のほとんどのジャンルとスタイルは、米国で誕生し、世界中に普及した。アメリカのポピュラー音楽と密接につながるひとつのシーンとされるイギリスのポピュラー音楽をのぞけば、とって代わるものはなかった。マンボ、ボサノバ、レゲエなどラテン音楽は、ダンスブームが起きるたびにアメリカで脚光を浴びてきたが、厳密にいえば、ラテン音楽も白人と黒人に二分化される人種構造のはざまに隠れた、いわばアメリカポピュラー音楽の底流にすぎない。そんななか、アジア音楽の居場所はなかった。サンフランシスコなど西海岸の都市を中心に、それなりに定着していたアジアのエスニック・ミュージックも、実際は移民たちのあいだで流行っているだけだった。2000年代初めに主にニューヨークで関心を集めたJ-POPも、メインストリームではなくヒップスター文化に近かったとみるのが正しいだろう。そんな音楽シーンにK-POPが踊りでたのは、まさに青天の霹靂（へきれき）だった。

ソーシャルメディアが飛び道具的に機能してヒットしたPSYの「江南スタイル」とK-POPは、ポピュラー音楽が様々なかたちで広がる可能性を初めてしめした。とくに発信地が欧米ではないという点で興味深い変化だ。ポピュラー音楽が、アメリカではなくアジア、しかも韓国を発信源として、最大地域であるアジアを占領し、さらにヨーロッパと南米、中東、そして北米まで、わずかながらも多元的な構図を築いたのは、世界の文化史的にも意味をもつ事件だった。

K-POPは、最初から世界制覇という野望を抱いていたわけではない。端緒となったのは、飽和状態にある国内市場の代案として東アジアの一部に投資をしたことや、韓流ドラマブームの波及効果で人気を得たことだった。H.O.T.が中国で活動し、Clon(クローン)［1996年にデビューしたダンスミュージックデュオ］が台湾で予期せぬ成功を収め、「韓流」という言葉を生むひとつのきっかけをつくった。だが、それは現在のように戦略があったわけではなく、偶然の産物に近かった。しかしこの小さな成功は、K-POP産業が新たな大陸を発見する重要な転機となった。もちろん、ゼロからのスタートは限界にぶち当たる。最初に進出した日本と中国は、いずれも文化的に「よそ者」を受け入れない傾向が強く、同じアジア圏でありながら、言語の壁も高い国だ。こうした難関を突破するために考えたのが、いまやK-POP産業が誇るスキルのひとつ、「現地化」戦略だった。K-POP産業がまず注目したのは、日本だ。音楽的なスタイルが似ているだけでなく、韓国人にとって日本語はほかの国にくらべて習得しやすい。SMエンターテインメントは、オーディションを受ける兄の付き添いだった11歳のBoAをスカウトし、「神秘プロジェクト」として、韓国と日本の市場をターゲットにした歌手を育成すべくトレーニングを始めた。1997年にSMがBoAの育成に投じた30億ウォンという金額は、通貨危機に直面していた韓国の状況を鑑みると、果敢な投資であることは間違いない。BoAはダンスと歌、さらに英語と日本語の教育を受け、K-POPではなくJ-POP歌手としてのアイデンティティをつくり上げた。そして、2002年にアルバム『LISTEN TO MY HEART』を日本語でリリースしたのを皮切りに、日本での活動をスタート。数年後にトップの座に上りつめた。BoAというアーティストをプロデュースする際に得たさまざまなノウハウは、その後、SMだけでなく、すべてのK-POPアイドルに応用された。

BoA以後、アイドル歌手たちのローカライズ戦略は、このモデルをほぼ踏襲したもので、同じように日本を優先する戦略だった。ところが、アーティストを現地化するために膨大な準備が必要になるうえ、拡大するグローバル市場にたいして柔軟に対応しにくくなるという問題が浮上した。そこで芸能事務所が取り組んだのが、文化を媒介する役目を果たす外国人または在外韓国人メンバーの活用だ。海外で人気があるアイドルグループを見れば、現地でのオーディションなどで選んだ外国出身のメンバーが数名ふくまれているのがわかる。少女時代のティファニーとジェシカは韓国系アメリカ人、GOT7のBamBam（ベンベン）やBLACKPINKのLISA（リサ）はタイ人、TWICEのツゥイは台湾出身、モモ、サナとミナは日本人だ。グローバルマーケットで、彼らはK-POPの広報大使であり、文化を通訳する役割を担う。英語や日本語、中国語のラップやインタビューを担当することもあり、出身地での活動では、グループを象徴する彼らの存在自体が人気を決定づけるケースも多い。TWICEが日本で、GOT7やBLACKPINKがタイで、爆発的にヒットしている理由は明らかだ。

しかし、K-POP産業が誇るローカライズ戦略は、アジア、なかでも東アジアと東南アジアにフォーカスしたモデルにすぎず、欧米、とくにポピュラー音楽の本場で潜在的にもっとも大きな市場であるアメリカでは通用しなかった。とはいえ、韓国のアーティストたちはアメリカに挑み、成果も残してきた。たとえばBoAは2009年、日本での成功と知名度を足場に、英語でアルバム『BoA』をリリース。K-POPの歌手として初めて、ビルボードのアルバムチャート［ビルボード200の127位］にランクインした。同年、Wonder Girlsも「Nobody」で、K-POPのシングルとして史上初のヒットを飛ばし［K-POP歌手として初めてシングルチャート、ビルボードHOT100の76位にランクインした］、メディアの注目を浴びた。不可能と思われていたビルボードチャートの壁を破ったという点で、記憶すべき重要な出来事に違いない。また、K-POPアーティストとしてアメリカで初めて大型アリーナ公演を成功させたBIGBANGや、初のテレビ地上波出演で歴史を変えた少女時代は、「K-POPファンダム」がアメリカで広まりつつあることを実感させた。

ただ、成功には限界があった。ビルボードチャートのランクインがK-POPの可能性をしめす一方で、いくら努力しても上位に入ることはできなかった。PSYの「江南スタイル」が世界的に大ヒットする以前は、アメリカ市場でリリースされたK-POPシングルが40位以内にランクインすることは不可能だった。BTSが本格的な人気の兆しを見せはじめる2016年までに、計12枚のK-POPアルバムが200位以内にチャート入りしたが、そのうち100位以内はわずか2枚。だが、K-POPの全般的な状況を考慮すれば、これを「失敗」といい切るのは不公平だ。私は、BIGBANGと2NE1、EXOなどの活動とファンの反応を現場で観察しながら、以前とは違うK-POPへの関心と熱気を感じていた。数字やデータでしめすのは難しいが、K-POPの影響力は確実に高まっていた。

K-POPの歴史における北米市場とビルボードチャートでの成功。この2つには、重要な共通点がある。それは、韓国の大手芸能事務所、

SM、JYP、YGのアーティストたちによって独占されてきたということだ。「ビッグ3」と呼ばれる彼らは、資本力と長年の経験を土台に、流行をおさえたスタイリッシュな音楽を生みだすことに長け、現地戦略の体系的なノウハウとシステムも兼ね備えていた。一般の音楽ファンにはあまり知られていないが、ひとりの歌手やひとつの曲が注目され成功するには、現地のエージェントやプロモーターの役割や、マスコミやテレビ局との関係が重要なカギとなる。とくにアジアのミュージシャンのようにメディアへの露出の機会が限られている場合は、数回のテレビや広告への出演が、音源のセールスに決定的な役割を果たすことも多い。アメリカ市場で一番うまくいったと評価されるPSYも、業界トップのプロモーター、スクーター・ブラウンによって手堅くサポートされていた。2NE1のメンバーCL（シーエル）のアメリカ進出も、ブラウンのもつノウハウと影響力で実現したといえる。だが、このようなノウハウをもつビッグ3でさえ伸び悩む。アメリカ市場の壁は高かった。

BTSがこれらの壁を越えて市場の勢力図を書き換えたことは、業界の仕組みを知る人にとって、まさに奇跡だった。デビュー以来、彼らがアメリカ市場で収めたすべての業績は、K-POPの歴史における記録を更新した。韓国では、ほとんど新人に近かった2015年にビルボード200にランクインし、『WINGS』でトップ40の壁を破り、26位という驚異的な記録を打ち立てる。2016年から現在まで、BTSの計8枚のアルバムと2枚のソロアルバム（ミックステープ）がトップ100位以内に。そのうち5枚は10位以内、なかでも4枚は1位となった。2020年4月現在までにK-POPでは22枚のシングルが100位内にランクインしたが、12枚はBTSの曲で、「FAKE LOVE」は10位、「Boy With Luv」は8位、「ON」は4位。PSYの「江南スタイル」が残した業績［2位］に匹敵する曲はまだ出ていないが、圧倒的な記録といえる。さらに重要なのは、チャートでの持続性、つまり「どれだけの期間ランキングに滞在し、影響力を見せるか」という点だ。ファンダムの規模が相対的に小さく、とくにラジオなど放送を通じたプロモーションが難しいK-POPの、最大の弱点が持続性だった。BTSが人気を得る以前、チャートに2週間以上留まることができたアーティストはPSYだけだ。これがK-POPの現地化戦略の限界だった。記録がすべてではないが、客観的な数値の世界で、BTSはK-POPを明らかに阻んでいた境界線を飛び越えている。

K-POPがグローバルマーケットで成功するためには現地化戦略が必須で、それさえもアメリカ市場では限界があるとすれば、なぜ基本的な戦略すら取り入れなかったBTSが、米国で唯一トップに立ったのだろうか。この質問に答えるために、K-POPの本質を再確認しながら、K-POPが世界で注目を集めたきっかけについて考えてみたい。それをひも解けば、K-POPの限界とBTSの成功のヒントが見えてくるはずだ。

K-POP、とくにアイドル音楽のベースは、英語で「トータル・パッケージ」といわれる総合的な経験を大衆に提供することだ。わかりやすくいうと、カッコ良いルックスと、トレンドに乗った音楽、華やかなパフォーマンスの「三位一体」式モデル。国のイメージを消したグローバルな美学の追求が前提条件だ。2000年代初めから、本格的にノウハウを積んだK-POPアイドルの所属事務所は、究極のパッケージをつくるために、ある方法論を発展させた。そのひとつが「練習生」と呼ばれるトレーニングシステムだ。国籍や個人のイメージを最小化し、高いレベルの音楽とアーティストをつくるための訓練を重ねる。これは2000年代以降、K-POPがアメリカとヨーロッパ以外のすべてのマーケットを席巻した決定的な要因といえる。

しかし、アメリカでは事情が違った。まず、K-POPの特徴である「エッジが立った今風の音楽」はアメリカをモデルとしているため、勝ち目がない。このようにオリジナリティのない音楽は、必然的に新奇性や真正性においても脆くなる。本物の音楽にこだわるアメリカのマスコミと大衆は、意識的または無意識的にK-POPの杓子定規なシステムに反感をもっていた。表向きは華やかなK-POPに驚き、褒めたたえていても、実は単なる「エキゾチックな見世物」以上の関心を引くことができないケースが多かった。また、K-POP特有の人為的な「スター製造」システムが、しばしば否定的にとらえられたのも事実だ。

2010年代初め、アメリカのマスコミがK-POPの世界的な成功と米国での関心の高まりについて報道した際に使われた言葉が、「ファクトリー・アイドル」だ。工場でつくられる製品のように画一的な歌手という、否定的な意味がふくまれている。もちろん、このように評価される背後には、アジア人にたいする偏見や、勢いづくK-POPにたいする漠然とした警戒心があるかもしれない。アメリカでアジア人はステレオタイプに描かれてきた。たとえば、「アジアの男性にはセックス・アピールがない」というように。K-POPアイドルのカッコ良い容姿とパワフルなダンスは、その先入観を破る大きな一助となる一方で、「個性がなく似たような、つくられた音楽」という偏見をさらに強くした。

BTSは果たして偏見から完全に自由になれたのだろうか。彼らもK-POPの芸能事務所が企画し、トレーニングしたアイドルだ。その点で、BTSにも根本的には限界があり、ほかのアイドルと似たような視線を向けられる。だが、彼らは独自の方法でこの限界を乗り越えた。BTSは、敢えて英語で歌うアルバムをリリースしていない。

また、外国人の作曲家やプロデューサーとの国境を超えたコラボレーションや、外国人メンバーの投入など、K-POPを現地化するために必須とされる戦略もとらなかった。正確にいうと、そもそも彼らには「アメリカ進出」という概念がなかったのだ。しかし逆説的に、戦略がないからこそBTSの音楽はほかのK-POPと差別化され、想定外の成功につながる土台となった。ミニマムな（あるいは存在しない）戦略で閉鎖的なアメリカ市場を魅了したこと、前人未到の記録を叩きだしたこと。その背景には、K-POPでありながら脱K-POP的なアイデンティティ、とくに本物の音楽にこだわる姿勢や、物語性が深く関係している。BTSも、普通のアイドルグループと同じトレーニングシステムを経て音楽性を磨いてきたのは、周知の事実だ。しかし、BTSのメンバーは、音楽のクリエイティブ能力を見込まれて選ばれたり、デビュー当初からミュージシャンとして楽曲制作に関わったりしている点で、ほかのグループと決定的に異なる。こうしたベースの上で、K-POPが伝統的に得意とするトレンディな音楽と華やかなパフォーマンスが結びつき、相乗効果が生まれた。世界的なトレンドで時代精神を映すヒップホップという言語と姿勢を通して、BTSは自分たちの考えを荒っぽくストレートに表現した。その清々しい姿が、本物のアーティストを愛し、アイドル文化を好ましく思っていなかったアメリカのメディアと評論家、聴衆に受け入れられたというわけだ。これを「単に運がよかっただけ」といえるだろうか。

この数年間、私がアメリカで出会ったARMYたちは、BTSの音楽は「ほかとは違う」と口をそろえる。ヒップホップをふくむアメリカのポピュラー音楽とも、既存のK-POPとも何かが異なる、と。さまざまな理由が存在するが、「違い」のポイントは、BTSの放つ普遍的で健全なメッセージにある。彼らは、アイドル音楽が避けてきた青春と成長についての物語を取り入れ、奥深いメッセージとともに洗練された音楽のなかに溶け込ませた、唯一のK-POPグループだ。学校三部作に続く『花様年華』シリーズで具現化されはじめた彼らの物語は、これまでのK-POPアイドルの抽象的なコンセプトやフィクションの世界観とは一線を画す。また、強い承認欲求とスワッグという単語で表現される自信に満ちた男性優位主義の物語にのめり込むアメリカのメインストリームのヒップホップとも異なっていた。「DOPE/DOPE −超ヤベー!−」や「FIRE」の沸き立つエネルギー、「Cypher」シリーズと「MIC Drop」で浮かび上がる若手ミュージシャンの力強い姿、「Go Go」などに見られる社会批判。そして「Epilogue: Young Forever」と「Spring Day」に込められた傷つきやすい青春の挫折と悲しみ、そのなかで発見した希望。これらの物語は、K−POP最大の弱点、つまりメッセージと姿勢が本物ではないことを克服する原動力となった。多様性に満ち、偽りのない普遍的なメッセージは、トレーニングと現地化戦略では決して生みだせない。

真実味のある、ひとりひとりが主体となる物語を軸にしたBTSの成長の過程は、彼らの普段の姿やソーシャルメディアでのファンとのコミュニケーションにも表れている。デビュー当時、ほかの芸能事務所の大部分は、さまざまなリスクを懸念してアイドルのSNS活動を自粛し、完璧な姿のみを見せようとしていた。そんななか事務所が小さく資本が少ないBTSは、革命的なニューメディアを最大限活用してファンと親密な関係を地道に築き、弱点を克服する。成功の鍵となったのは、一貫した姿勢と誠実さだった。SNSでメンバーが見せる姿と、楽曲に込められた彼らの肉声は完全に一致していて、「つくられたニセ物」ではなかった。BTSのぶれない言葉、行動、そして音楽。それが自発的で熱狂的なファンダム、ARMYが広まった主たる理由だ。BTSは基本的に特定の地域文化に向けたローカライズを試みず、ただ自分たちらしくあろうとし、音楽の基本的な方法論に忠実であろうとした。だから、ARMYは国籍と文化の異なるBTSの音楽に共感し、自国のアーティストと同じぐらい高い関心を寄せたのだろう。ARMYは国を問わず、BTSのアンダードッグ（弱者）としての悲しみ、成長と苦悩、喜びをすべて理解し、自分の人生と重ねる。アメリカと日本のアイドル文化では、「成長」というコンセプトが表面的で架空の領域に限られているが、BTSは音楽と実人生のすべてに「自分らしくいる」という哲学を浸透させ、ファンに究極の一体感と仲間意識を共有させる。これは、ファンを外なる対象とみなしてきたポピュラー音楽にとって、革命的な変化といえる。

ここで、一体感と仲間意識が生みだした「ARMY」という、ファン集団の新しいかたちに注目する必要がある。ARMYは、好きなアーティストのコンサートに行きアルバムを買うだけの、消極的なファンではない。ファンダムのなかで批評や議論をおこない、評論家と同じように、いや、さらに深いレベルで音楽と歌詞を解釈し、時にはBTSにたいする誤解を解くために努力する。ARMYのグローバルな活躍は、K-POPの芸能事務所の宣伝部をも超える高いレベルに達しているといっても過言ではない。2018年の「光復節Tシャツ★」［日本では「原爆Tシャツ」として知られる。韓国では日本からの植民地支配から独立した「光復節」と関連づけてこう呼ばれている］をめぐる議論でBTSが日本の右翼メディアと韓国の一部マスコミから批判された際に、国境を超えたARMYが立ち上げた「White Paper Project」（白書プロジェクト）は、画期的な試みだった。学術論文に匹敵する膨大なリサーチとロジックを盾にBTSを守る、スマートに進化したファンダムのかたちは、カルチャーを研究する学者たちにとって興味深い事例となった。

もうひとつARMYの独創的なカルチャーといえるのが、ネットワークと絆［韓国語では「同志愛」］だ。これまでは、BTSをふくむすべてのK-POPグループは、文化的に韓国のファンのものであるとみるのが一般的だった。ところが、「BTS現象」では、北米、とくにアメリカのARMYが果たしてきた役割は、韓国のファンとくらべても引けをとらず大きい。BTSが国境を超えてつくりだす「現象」を目の当たりにしながら、各国のARMYは存在を肯定しあい、強く結束する。お互いの文章を多言語に翻訳してシェアし、時には文化の違いについて議論し、アルバムがリリースされると、チャートなどで良い結果を生むために励ましあう。「I-Lovelies」［韓国のARMYが外国のBTSファンにつけたニックネーム］は、K-POPのファンダムにおいて初めて歴史をつくる担い手となった。これを可能にしたのは、BTSの音楽に込められた、文化を超えて伝わる普遍的なメッセージだ。それによって多様なファンダムが自然に結びついたのだろう。

飾らないリアルな、彼ら自身の物語を前面に出したBTSの、戦略なき戦略が、ほかのK-POPグループにも有効なのかはわからない。最近のK-POPは、BTSの成功事例とは関係なく、現地化戦略をさらに高める方向に発展している。JYPエンターテインメントのパク・ジニョンは2018年、「JYP2.0」というタイトルのプレゼンテーショ

★ 2018年10月中旬、BTSメンバー、JIMINの1枚の写真がネットで騒動となった。JIMINのTシャツに、長崎での原爆投下と第二次世界大戦終了後日本による統治からの解放を祝う朝鮮人の姿とともに、「Patriotism」、「Our History」、「Liberation」、「Korea」と英語で書かれていた。11月8日、テレビ朝日は予定されていたBTSの『ミュージックステーション』出演をキャンセルし、11月11日には、アメリカのユダヤ人人権団体「サイモン・ウィーゼンタール・センター」もBig HitエンターテインメントとBTSに過去を嘲る行動があったとし、声明を発表した。11月13日、Big Hitが文書を発表するが、サイモン・ウィーゼンタール・センターのリアクションと国際世論には、問題があるように思われた。これを受けて約30人のARMYが、上記の議論を振り返るべく、まるで論文のようなレベルの「白書」を発行した。白書には、事件の概要とマスコミによる誤報および虚偽情報に関する調査、理解するための歴史的背景、ファンダムの反応、J-ARMYチームメンバーによる声明などがふくまれている。

ンで、「現地化を通じた世界化」(globalization by localization)の時代を公言した。これは、世界中から集めた人材の才能を生かして音楽を開発・プロデュースし、リリースするという意味だ。同年6月に中国で発掘した男性6人組「BOY STORY」に続き、日本でデビューして活動するガールズグループを企画している。これより早い2016年、SMエンターテインメントは、「NCT」プロジェクトでビジョンを明らかにした。SMもさまざまな国からメンバーを集め、世界各地を拠点としたグループまたはユニットを結成して活動している。このようにK-POPは、いまや単純な練習生システムから、地域に合わせて最適化した形態をとる「モジュール化」の段階へと進んでいるのだ。一方、世界のポピュラー音楽市場、とくにアメリカで成功したBTSも、ほかのグループの手本として新たなトレンドをリードしている。MONSTA XやStray Kidsなど、ますます多くのアイドルグループが自分たちの音楽に深く関わるようになった。率直でリアルなメッセージを掲げ、楽曲に込める物語とパーソナリティーが首尾一貫している彼らは、BTSを成功に導いたのと同じ道を歩もうとしているようだ。リアルなストーリーよりも音楽の完成度に注力していたSMエンターテインメントも、このトレンドに乗っている。SMが力を入れているNCTも、メンバー自身の物語を盛り込んだ曲をリリースするようになった。こうした真正性(オーセンティシティ)と個性は複製できるものではないが、BTSは誰も想像していなかったやり方で、K-POPシーンに教訓を残しているのは明らかだ。BTSとARMYによって、K-POPのグローバリゼーションの新たな時代が始まったのである。

Interview _ 02

アイドルを超え、ミュージシャンへ

作曲家
ブラザー・スー

BTSはアイドルグループのなかでもとくに、
音楽の制作についてみずから語るグループだ。
それにもかかわらず、
いまだ知られざるエピソードも多い。
「I NEED U」を作曲したブラザー・スーが、
インタビューで『花様年華』制作の裏側を明かした。

キム・ヨンデ　ブラザー・スーさんは『花様年華』の時期にBTSのいくつかのトラックを手がけました。それらはファンのあいだで、名曲といわれています。BTSの曲作りに参加したきっかけとは？

ブラザー・スー　2013年末に歌手のRa.D（ラ・ディ）［2002年にデビューしたシンガーソングライター、プロデューサー］の紹介で、パン・シヒョク・プロデューサーに初めて会いました。BTSの『SKOOL LUV AFFAIR SPECIAL ADDITION』を準備しているタイミングで、「Like / いいね！（Slow Jam Remix）」のリミックスの依頼を受けたのが最初の仕事です。

キム・ヨンデ　最近K-POPでは、複数の作曲家が分担しながらサウンドメイクをすることが多いのですが、主にどの部分を担当したのでしょうか。

ブラザー・スー　プロジェクトによって異なります。最初の仕事ではトラックメイカー（曲の骨組みとなるビートをつくる人）として参加しましたが、『花様年華』シリーズではメロディーと作詞を中心に担当しました。

キム・ヨンデ　BTSサイドからオファーされた最初のプロジェクトが、作詞ではなくリミックスだったのは、やや意外だったのでは？

ブラザー・スー　アルバムのタイトル曲ではありませんが、デビュー直後からSNSで話題になっていました。だから、彼らに会う前からその歌を知っていたんです。私はシンガーソングライターや作曲家として活動する前に、ヒップホップコミュニティのリミックスコンペティションに参加して受賞したことが何度かありました。だから、リミックスにはある程度自信がありました。

キム・ヨンデ　最初から「スロージャム」でのリミックスバージョンを考えていたのですか。

ブラザー・スー　そうではありません。まず、原曲のBPM（「Beats per minute」の略語。一分間の拍数、テンポ）を半分にし、ピアノとエレクトリックピアノの音を加え、サビの最後にシンセプラック（弦をはじくような音のソフトウェア楽器。EDMによく使われる）の音を乗せればスロージャムになるだろうと思い、そのスタイルに決めたんです。基本的に同じパターンをくり返すループ構成の曲なので、合間に楽しみを盛り込むためにバリエーションを入れ、最後にプロデューサーのPdoggが後半部分の編曲を修正し、いまのかたちになりました。

キム・ヨンデ　『花様年華』時代に手がけた曲について伺います。まず、「I NEED U」から。ファンのあいだではBTSを象徴するトラックのひとつとされ、エキゾチックで、それまでのBTSの曲やほかのアイドルの音楽とは異なる独特な雰囲気です。大衆に認められた、最初の大ヒット曲としても重要な意味があります。

ブラザー・スー　「I NEED U」は、『花様年華』シリーズで最初に手がけたトラックです。一番印象深いのは、私が作曲に入る前にパン・シヒョク・プロデューサーが曲に盛り込みたい感性を説明してくれたこと。単に音楽だけでなく、映画をはじめとするさまざまな芸術を例に挙げ、「これらの作品を貫く共通のテーマをつくりたい」と言ったんです。普通、作曲の依頼を受ける時は参考資料として音楽を提示されるので、パン・シヒョク・プロデューサーのやり方は、新鮮で衝撃を受けました。プロデューサー兼作曲家のPdoggが準備したトラックに、パン・シヒョク・プロデューサーとBTSのメンバー、そして私がつくったメロディーがそのまま溶け込んだり、意図せぬ場所に置かれたりして、新しいメロディーが生まれる。その過程も感動的でした。

キム・ヨンデ　「Butterfly」は、『花様年華』シリーズで個人的に一番好きなトラックです。BTSのディスコグラフィーのなかでも、最高の曲のひとつだと思います。原曲もすごく良いのですが、prologue mixバージョンの情緒はとくに素晴らしいと思います。

ブラザー・スー　「Butterfly」は、携わったなかで一番くり返し聴いた、大好きな曲のひとつです。初期バージョンは『花様年華 pt.2』のカムバックトレーラーに使われ、その後『花様年華 YOUNG FOREVER』にprologue mixバージョンが収録されました。原曲ももちろん好きですが、プロジェクトのあいだずっとprologue mixバージョンを聴いていたためか、もっと気に入っています。当時、仕事を受ける前から予定していた友だちとの旅行で海外にいたのですが、Slow Rabbit、パン・シヒョク・プロデューサーとメッセンジャーでやりとりしながら、トップライナー[歌詞を乗せるメロディーをつくる作曲家]として参加しました。友だちが寝ているあいだに、泊まっていたAirbnbでガイドを録音して送ったのを覚えています。私にとって初めての「海外での仕事」になりました(笑)。

キム・ヨンデ　「Whalien 52」は、モチーフとテーマがとても独特です。2000年代半ばに脚光を浴びた、ヒップホップのハイピッチメソッドを生かして作曲しているのが印象的です。

ブラザー・スー　パン・シヒョク・プロデューサーが語る「52Hzの周波数で歌うクジラ」から着想を得て、曲をつくりました。私は、ストーリーがあると創作が進むタイプです。テーマを聞いてあんなに興奮したのは久しぶりでした。プロデューサーのPdoggがハイピッチソースをリサンプリングしてヒップホップのビートをつくりました。はかなく寂しい感じだったので、メロディーを書きやすかったです。すぐに良いものができて、感無量でした。とくにサビの歌詞を仕上げた時に、「離れ小島のような俺も 明るく輝けるだろうか」というフレーズがすごく良いと、みんなが言ってくれてうれしかったですね。BTSのラップラインのメンバーが書いた歌詞も、すごく気に入っています。

キム・ヨンデ　「Outro: House Of Cards」は、BTSのなかでもとくにユニークです。マイナースケールでアンニュイな雰囲気が、あなたやSlow Rabbitが普段好んでつくる曲とはタイプが違いますね。

ブラザー・スー　その通りです。個人的に明るいトーンのコードワークとメジャースケールが好きで、マイナースケールの曲はあまり手がけません。そんななか、ダークな雰囲気の曲をやってみたいと思った時期に、このプロジェクトに携わることになったんです。Slow Rabbitも快活なビートの作品が多いので、初めてこのトラックを聴いた時は新しい感じを受けました。私が参加した時にはすでに「Outro: House Of Cards」というテーマが決まっていて、それに合わせて自由にメロディーと歌詞をつくり、短い期間で完成したのを覚えています。パン・シヒョク・プロデューサーがアイディアを加え、メロディーを修正し、素敵な曲に仕上がりました。たくさんのBTSファンが喜んでくれたので、満足しています。

キム・ヨンデ　Big HitのプロデューサーであるPdogg、Slow Rabbitと、どのように役割を分担したのか気になります。一般的なソングキャンプ（90年代後半に北欧の音楽業界で生まれた作曲方式。制作チームとミュージシャンが一堂に会し、意見を交わしながら共同で作曲とレコーディングをすること）と同じようなプロセスだったのでしょうか。

ブラザー・スー　Big Hitはチームで作曲するケースがほとんどです。社屋のひとつのフロアにスタジオが並んでいて、新しいメロディーや歌詞が浮かぶとすぐにシェアし、コミュニケーションをとりながら曲を完成させていきました。ソングキャンプに似ていますが、セッションとしておこなうよりも、日常の自然な流れとして進めていく感じでした。

キム・ヨンデ　多くの芸能事務所と仕事をしていますが、BTSを異例の成功に導いたBig Hitならではの強みは何だと思いますか。

ブラザー・スー　一般的に作曲家が依頼される仕事は、「アルバム」という大きな絵のなかの「一曲」というピースを完成させること。でも、Big Hitでは大きな絵を何人かで同時に仕上げていく。作曲家同士が意思疎通しながらアルバムをつくるので、曲同士の関連性やストーリーテリングがより精巧になるのではないでしょうか。

キム・ヨンデ　BTSの音楽を聴くと、ほかのアイドルと差別化された雰囲気を感じます。音楽や構成が、飾らず自由な印象です。その理由は、曲作りの過程にあるのでは？

ブラザー・スー　制作のプロセスもおおいに関係していると思います。パン・シヒョク・プロデューサーの独創的なアイディアとメロディー、コンセプトとプロデュース能力。Pdoggの驚くほど幅広い音楽にたいする視野と、ジャンルについての深い理解、洗練されて豊かなサウンド。Slow Rabbitの温かくて甘いセンスと、Supreme Boiのトレンディかつワイルドな感性。これらがバランス良く調和し、自由な雰囲気が倍増するのでしょう。プロジェクトのあいだずっと、私もたくさん刺激を受け、インスパイアされました。

キム・ヨンデ　アイドルではなくミュージシャンとしての、BTSの音楽的な才能が気になります。彼らと仕事をした作曲家として、BTSのボーカルやラップのスタイルの特徴をどうとらえていますか。

ブラザー・スー　RMはラップ担当ですが、メロディーにも鋭いセンスをもっています。多くの曲にアイディアを出し、重要な役割を果たしました。SUGAがプロデュースとトラックメイキングに秀でているのも印象的でした。J-HOPEは、最近リリースしたミックステープ『HOPE WORLD』で、彼らしいスタイルを発揮しています。JUNG KOOKのボーカルのトーンと完璧な音程には、本当に驚きました。

キム・ヨンデ　デビュー当時から、メンバーたちはラップメイキングなどに参加してきました。今後は、作曲や編曲、プロデュースにも携わっていくことを望んでいますね。音楽産業ではアイドルに位置づけられますが、ミュージシャンとして音楽に主体的に関わっていくことが大切だと考えています。

ブラザー・スー　そうですね。最近ますます積極的に曲作りに参加しているのがうれしいです。各メンバーがスキルを伸ばし、曲中で自分のスタイルを表現する機会も増えました。それぞれがみずからの声の特徴を熟知したうえで、うまく生かしています。最近よく聴いているのは、『LOVE YOURSELF 轉 'Tear'』でJUNG KOOKがプロデュースに参加した「Magic Shop」です。

キム・ヨンデ　ミュージシャンとして一緒にプロジェクトに携わりながら感じた、BTSの最大の強みとは？　世界的なスーパースターになった彼らの、成功の秘訣は何だと思いますか。

ブラザー・スー　BTSの一番の魅力は、グループのなかに何物にも代えがたい、または「彼らだけの」「唯一無二の」多彩なキャラクターが共存していることです。ラップとボーカルともにひとりひとりの特徴が生かされていて、アルバムではメンバーが自分自身を溶け込ませながら、曲作りに積極的に参加しています。それが、彼らの音楽をさらにユニークにするのではないでしょうか。また、粘り強いチームワークと絶え間ない練習も、外せない要素です。

キム・ヨンデ　BTSと仕事をした人は、口をそろえて彼らのチームワークや情熱について語ります。また、荒削りな個性と人間的な魅力も大事ですね。

ブラザー・スー　アルバム制作期間はプロモーション活動がないため、少し時間の余裕があるのですが、BTSのメンバーは正月のような祝日や連休にも毎日練習室とスタジオに来て、トレーニングをします。そんな姿に心を動かされました。私は実は人見知りが激しく、親しくなるのに時間がかかるんです。でも、メンバーが先に声をかけてくれ、スタジオでも温かく迎えてくれました。彼らは本当に魅力的です。初対面の時、新鮮な衝撃を受けましたが、いまも会うたびに驚きを与えてくれます。彼らの未来がとても楽しみですね。

ブラザー・スー

韓国のシンガーソングライター兼プロデューサー。2010年にデビューし、アルバムをリリース。BTS、Zion.T、Heize、BLACKPINKをはじめ、多くのアーティストの作詞・作曲を手がけている。

花様年華 pt.1

（2015年、ミニアルバム）

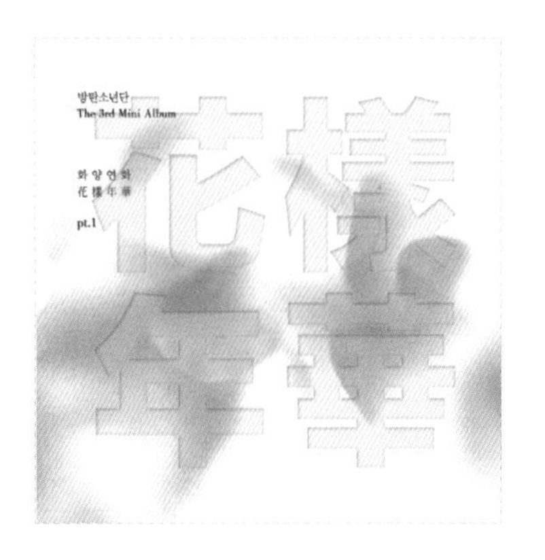

『DARK & WILD』で若者の「夢」と「幸せ」を探求する旅に終わりを告げたBTSは、物語とイメージを、人生でもっとも輝く瞬間、すなわち『花様年華』の世界へと広げていく。

ワイルドで男らしいエネルギーを発散していたヒップホップアイドルの姿は完全に消えたわけではないが、「ヒップホップ」はBTSのコンセプトそのものというよりは、基本的な姿勢、そして音楽を構成するさまざまな要素のひとつとなった。ボーカルがはっきり存在感を表し、ラップはテクニックを誇示するためではなく、音楽のコンセプトと雰囲気を支える柱へと改められた。

このような変化と音楽における新たな意図が一番よく表れているのが「I NEED U」と「DOPE/DOPE－超ヤベー！－」だ。BTSのディスコグラフィーを象徴する代表曲でもある。デビュー当初にはRMやSUGAに偏りがちだった音楽の重心も、それぞれのメンバーのスキルが成熟するにつれ、バランス良く分散されるようになる。それに合わせ、多彩なプロデュースが試みられている。『LOVE YOURSELF』シリーズへと続く、BTSならではの世界観とイメージが誕生したスタート地点として、重要な意味をもつアルバムだ。

Track review
__ (花様年華 pt.1)

1 ▸ Intro: The most beautiful moment in life

Slow Rabbit, SUGA
Produced by Slow Rabbit

림을 향해서 내가 던지는 건
수많은 고민과 삶의 걱정거리

リングに向かって俺が投げているものは
数えきれない悩みと 人生の不安

青春三部作の第一歩は、バスケットボールが床でバウンドする音から始まる。まるで成長と苦悩を描く青春ドラマかアニメの一場面のようだ。曲を聴くと、「スポーツ」と「青春」というキーワードは、「夢」と「情熱」「挑戦」を想起させると気づく。実はSUGAというステージネームは、バスケットボールのポジション、「シューティング・ガード」に由来する。SUGAのラップは学校三部作の時よりさらに成長し、テクニックと哲学的な歌詞、そして情緒などすべてが調和し、音楽に説得力を与えている。

2 ▸ I NEED U

Pdogg, “hitman” bang, RM, SUGA, j-hope, Brother Su
Produced by Pdogg

미안해 (I hate u)
사랑해 (I hate u)
용서해 (Shit)

ごめん（I hate u）

愛してる（I hate u）
許して（Shit）

日本語歌詞｜KM-MARKIT

ごめんね（I hate you）
Love you so（I hate you）
許して

BTSのディスコグラフィーのなかで、決して忘れられない曲だ。イントロで流れるエキゾチックなメロディーのリリシズムが切ないサビと出会い、激しく哀愁を帯びた雰囲気を生む。パワフルなトラップビートとヴァースのラップが緊張感に満ちているにもかかわらず、センチメンタルな印象を残すのが「I NEED U」の特徴だ。若手ヒップホップアイドルから「全国区」へ進撃を開始する第1弾となった曲。

3 ▶ Hold Me Tight

Slow Rabbit, Pdogg, V, RM, SUGA, j-hope
Produced by Slow Rabbit

여전히 너에게선 빛이 나
여전히 향기 나는 꽃 같아

変わらず君は光り輝く
変わらず香る花のように

セクシーなスロージャムR&Bをベースにアレンジしているため、音楽だけを聴くとまったく異なる印象を受けるかもしれない。だが、歌詞に耳を傾けると、青春が渇望する愛を表現していて、官能的というよりは切ない感じがする。ボーカルラインのビートをきわめたグルーヴは注目に値する。

4 ▶ SKIT: Expectation!

Produced by Pdogg, "hitman" bang

1 등 할 수 있겠냐?

1位になれるかな?

BTSは、もはや初々しく胸を躍らせる新人ではない。目前に迫る「成功」について、期待と不安が交錯する胸のうちをストレートに明かしている。

5 ▶ DOPE / DOPE –超ヤベー!–

Pdogg, 귄방망이, "hitman" bang, RM, SUGA, j-hope
Produced by Pdogg

언론과 어른들은 의지가 없다며
우릴 싹 주식처럼 매도해
왜 해보기도 전에 죽여 걔넨

メディアと大人は意志がないと
俺らを株のように売り渡す
なぜ トライする前に殺すのか

日本語歌詞｜KM-MARKIT

大人達や周りは俺らに吹き込みぶっ飛んでるMaaan!
なんでカマさないんだ 奴は

「DOPE/DOPE －超ヤベー！－」という強烈なタイトルはもちろん、「ようこそ。BTSは初めてだろ？」とからかうような台詞で始まるイントロ、勇ましくパワフルな雰囲気。BTSの個性をユニークかつ効果的に表すヒップホップダンストラックだ。タイトルとナレーションの青くささが、軽い印象を与えるが、歌詞は「陰の努力」を強調する。そんな意外な健全さこそが、まさに歌詞にも登場する「防弾スタイル」なのだ。サビにメロディーではなくドロップ（リズムとベースの変化などで音楽の雰囲気を急に変える部分のこと）パートを配すことで、パフォーマンスの破壊力を高める手法が、新たに試みられた曲。

6 ▶ Boyz with Fun / フンタン少年団

SUGA, Pdogg, "hitman" bang, RM, j-hope, Jin, Jimin, V
Produced by SUGA, Pdogg

내게 묻지 마
난 원래부터 이랬으니까
나도 날 몰라
처음부터 끝까지 난 나니까

俺に聞くな
俺はもともと こうなのさ
俺も自分がわからない
俺はずっと俺だから

日本語歌詞｜KM-MARKIT

俺に聞くな
元々がこうだから
このままさ
全部俺は俺だから

イギリスのプロデューサー兼DJ、マーク・ロンソンの「アップタウン・ファンク」がもたらしたレトロパンクブームは、K-POPにかなり大きな影響を与えている。代表的な例のひとつが、「Boyz with Fun/フンタン少年団」だ。音楽的には、このジャンルをK-POPに取り入れる際に成否を分けるのが、くり返すグルーヴ感を維持しつつ、緩慢になるのを避けられるかどうかだ。トーンを変化させ続けるラップラインと、あいだを埋めるアドリブによって、この曲は最後まで楽しいテンションを保ち続ける。

7 ▸ Converse High

RM, j-hope, SUGA, V, Jimin, Jung Kook, Jin, Pdogg
Produced by Pdogg

컨버스 하이 만든 사람을 만날 거야
그리곤 말하겠지
당신이 이 세상을 구했어

> **コンバースハイカットをつくった人に会うんだ**
> **そして言うのさ**
> **あなたが世界を救ったと**

陽気なギターと叙情的なコードワークは、学校三部作時代のみずみずしさをそのまま引き継いだもの。ヒップホップでは、シューズブランドをレファレンスした曲が多い。このトラックでは、愛する人へのときめく気持ちを「コンバースハイカット」という靴にたとえて描写している。

8 ▸ Moving On

Pdogg, RM, SUGA, j-hope
Produced by Pdogg

아이돌에서 한 단계 위로
꿈이 잡히려 해
이젠 안녕

> **アイドルからワンランク上へ**
> **夢を掴むんだ**
> **バイバイ**

冒頭でRMがSUGAに話しかける。そんな風に始まる曲は、アイドル音楽ではめずらしい。住み慣れた宿舎を離れて、より良い場所に引っ越すという自伝的な内容が歌われているが、タイトルの「Moving On」は、さらに深い意味を示唆している。BTSにとってデビューからの数年間は、興奮と幸せに満ちていた一方で、疑問視され、低く評価された時期でもあった。ついに彼らは、つらい時間に別れを告げ、キャリアと人生の新たな章へと前進する。「荷物をもって出ようとしたが、ふたたび立ち止まって振り返る」という淡々としたメッセージ。そこに映しだされる、ひとつの時代を卒業し成長していく青年の姿が、心を静かに揺さぶる。

9 ▶ Outro: Love Is Not Over

Jung Kook, Slow Rabbit, Pdogg, Jin
Produced by Jung Kook, Slow Rabbit

니가 없으면
난 안 될 것 같아

> **君がいないと**
> **俺はダメになりそうだ**

ピアノだけで聴かせる序盤部の展開が特徴的だ。ミニマルな伴奏と、ボーカルラインの表現力が、さらに成長したことを際立たせる。とくにJUNG KOOKのボーカルは、ジャジーで叙情的な雰囲気をとても良く表現している。これまでは楽曲制作にはほとんど参加していなかったJUNG KOOKが初めてプロデュースを担当し、活動の幅を広げた作品でもある。

Review — 07

花様年華 pt.2

（2015年、ミニアルバム）

青春三部作の第2弾は、明るく快活な雰囲気を盛り込んだ1作目とは異なり、厳粛で思索的な側面にフォーカスする。歌詞はより真摯に深い内面を描き、音楽のニュアンスも繊細で複雑になった。

「アイドルの音楽が変わるのは、プロデューサーがコンセプトを変更したからだ」という人もいるかもしれない。しかし私は、BTSの変化は、メンバーがさまざまな転機を経験するなかでみずからをプロフェッショナルなミュージシャンとして意識した結果、必然的に起きたことだと考えている。

「RUN」と「Silver Spoon/ペップセ」は、『花様年華 pt.1』の成功の公式にBTSのさらに成熟したアイデンティティを加えた曲だ。「Butterfly」と「Autumn Leaves」は、BTS流作曲術の成熟を感じさせる、レベルが高いトラックだ。また、実験的な試みといえる「House Of Cards」は、新人から脱皮し、ミュージシャンとして本格的に羽ばたきはじめた彼らの、自信と成長を証明している。

Track review
___ (花様年華 pt.2)

1 ▸ INTRO: Never Mind

Slow Rabbit, SUGA
Produced by Slow Rabbit

부딪힐 것 같으면 더 세게 밟아 인마

ぶち当たるなら もっと強くアクセルを踏め

『花様年華 pt.1』のイントロと同様に、Slow Rabbitのビートに乗せたSUGAの曲。冒頭の歓声は、前作をリリースしてわずか数カ月のあいだに、BTSの人気が大きく変化したことをしめしている。SUGAは真摯に「成功」について語り、苦労して得た成果を失うことなく、さらに前進しようとする意志を明かす。夢が叶いはじめたことを喜び、自信に満ちた姿が、トラック全体から感じられる。

2 ▸ RUN

Pdogg, "hitman" bang, RM, SUGA, V, Jung Kook, j-hope
Produced by Pdogg

가질 수 없다 해도 난 족해
바보 같은 운명아 나를 욕해

手に入れられなくても構わない
バカな運命が俺を罵る

日本語歌詞 | KM-MARKIT

例え届かなくても
運命に嫌われても

エキゾチックな雰囲気のイントロ部分は、『花様年華 pt.1』のヒット曲、「I NEED U」との情緒的なつながりを暗示しているのかもしれない。「RUN」というタイトル通りの疾走するビートと、サビで登場する力強いロックは、EDMの感性と文法そのものだ。荒々しくて、若さあふれるエネルギーとさりげなく美しい歌詞が重なる。まさにBTSスタイルの音楽だ。

3 ▶ Butterfly

"hitman" bang, Slow Rabbit, Pdogg, Brother Su
Produced by Pdogg

시간을 멈출래
이 순간이 지나면
없었던 일이 될까 널 잃을까
겁나 겁나 겁나

時間を止めてくれ
この瞬間がすぎたら
なかったことになるのか 君を失うのか
怖くなる

音楽的なテクスチャー[音の組みあわせ]がもっとも豊かな曲。「Butterfly」というフレーズが入ったサビを、いくつかの異なるボイシング[和音における構成音の配置]で歌う部分がとても美しい。感覚的なメロディーも印象的だが、このトラック最大の聴かせどころは、繊細で深い感情の幅を表現するJUNG KOOKのボーカルと、曲の洗練された魅力をアピールするVの対照的なボーカルだ。BTSが新たな道へ向かうことを示唆する、『花様年華』の時代を代表する名曲のひとつ。のちに2つのバージョンでリミックスされている。

4 ▸ Whalien 52

Pdogg, Brother Su, "hitman" bang, RM, SUGA, j-hope, Slow Rabbit
Produced by Pdogg

외딴섬 같은 나도
밝게 빛날 수 있을까

> **離れ小島のような俺も**
> **明るく輝けるだろうか**

音楽を早回しした時のようにボーカルの音程を高める「ハイピッチサンプル」のテクニックを生かしたヒップホップ曲。このテクニックは2000年代半ば、カニエ・ウェストをはじめとするアメリカのヒップホップで流行した。「Whalien 52」では、曲の軸としてではなく、スパイスとして活用されている。「52Hzの周波数で歌うクジラ」に心を寄せるリリックは、孤独にもがく彼らの歩みに重なり、余韻を残す。

5 ▸ Ma City

Pdogg, RM, SUGA, j-hope
Produced by Pdogg

니가 어디에 살건
내가 어디에 살건

> **君がどこに住んでいても**
> **俺がどこに住んでいても**

ヒップホップで音楽的な信頼を得るためにもっとも大事なのは、みずからのルーツを率直に明かすことだろう。アイドルのなかで、BTSのようにストレートに出自について語るグループはほかにいただろうか。まさにこの点で、彼らの個性がくっきりと浮かび上がる。生まれた街にたいする愛情を歌っているようで、実は「成功」を意識しはじめたメンバーたちがふたたびルーツを振り返り、初心を貫く覚悟を誓う曲だ。

6 ▶ Silver Spoon / ペップセ

Pdogg, Supreme Boi, RM, Slow Rabbit
Produced by Pdogg

They call me 뱁새
욕봤지 이 세대
빨리 chase 'em
황새 덕에 내 가랑인 탱탱

They call me ダルマエナガ
苦労した この世代
早く chase 'em
コウノトリのおかげで俺の股はパンパン

日本語歌詞｜KM-MARKIT

They Call me “ペップセ”
決まりの設定
いまに形勢
逆転させ変える設計図

『花様年華』の時代を代表する、もっとも純度の高いヒップホップ。トレンディなトラップビートに乗せ、厳しい生活を強いられる現代の若者たちと、不利な条件のなかで挑戦を続ける自分たちの姿を、ダルマエナガ［朝鮮半島や中国東部などに生息する鳥］にたとえて歌う。

バリエーションに富むラップラインの魅力と訴求力の高いメロディーがBTSらしさを印象づけている。

7 ▸ SKIT: One night in a strange city

Produced by Pdogg, "hitman" bang, Slow Rabbit

成功への入り口を通り抜けた彼らの心に、ふと不安がよぎる。「これは夢かもしれない」

8 ▸ Autumn Leaves

SUGA, Slow Rabbit, Jung Kook, "hitman" bang, RM, j-hope, Pdogg
Produced by SUGA, Slow Rabbit

너는 나의 다섯 번째 계절
널 보려 해도 볼 수 없잖아
봐 넌 아직 내겐 푸른색이야

> **君は 俺の5番目の季節**
> **会いたくても無理だから**
> **ほら 君は俺の目には青いまま**

SUGAとプロデューサーのSlow Rabbitが組むと、特別な音楽的シナジー効果が生まれる。「Autumn Leaves」もまた、彼ららしい叙情的な雰囲気を受けつぐ、隠れた名曲だ。恋が終わる予感を乾いた落ち葉にたとえているのが、とても古典的で文学的だ。どちらかといえば単調な構成であるにもかかわらず、そう感じられないのは、ラップとボーカルをあざやかに表現した編曲のおかげだろう。年齢よりも大人びたJUNG KOOKのムーディなボーカル、トレンディなラップで曲に新鮮さをもたらすJ-HOPEのパートが、トラックの魅力を高めている。

9 ▶ OUTRO: House Of Cards

Slow Rabbit, Brother Su, "hitman" bang
Produced by Slow Rabbit

카드로 만든 집 그 속에서 우린
끝이 보인대도 곧 쓰러진대도

> **カードでつくった家 そのなかで俺たちは**
> **終わりが見えても すぐに倒れるとしても**

「Butterfly」とともに、『花様年華 pt.2』のなかでもっとも個性が際立つ曲。コントラバスの深い音色が印象的なイントロと、張りつめた弦楽オーケストラの伴奏は、まるで映画音楽のようにドラマチックな雰囲気をつくりだす。ジャズ風のコードワークは、これまでのBTSの音楽を超える洗練された美しさを湛(たた)え、感性を刺激する。個性豊かなボーカル4人のハーモニーが一体感と集中状態を生みだしている。映画のエンディングクレジットのように、深い余韻を残す曲だ。

Review _ 08

花様年華 YOUNG FOREVER

（2016年、リパッケージアルバム）

『花様年華 YOUNG FOREVER』は、究極のブレークスルーだった。リパッケージ版のスペシャルアルバムだが、追加された新曲は、商業的にも音楽的にもBTSの成長と成果を象徴する重要な作品だ。ひとつの時代ともいえる青春三部作の世界観は、ついに『YOUNG FOREVER』という最終章によって完成する。大衆へのアピールと商業的な価値をバランス良く備えつつ、誰にも真似できないBTSならではのサウンドを確立する。「アンダードッグ」（弱者）からスター

トし、浮き沈みを経験したBTS。このアルバムはまさに転換点であり、彼らの歩みを振り返ると胸が熱くなる。

ヒップホップグループとしてのアイデンティティを守りつつ、みずみずしいエネルギーが炸裂する「FIRE」は、幅広い人気を得てBTSが存在感をしめした、意義深いトラック。また「Save ME」は、トレンディなジャンルの曲を独創的な歌詞と巧みなサウンドメイクによってBTSスタイルに変身させた、もっとも彼らしい作品のひとつだ。何より感動的なのは「Epilogue: Young Forever」。青春三部作のすべてのテーマと情緒が凝縮されている名曲で、このアルバムが高く評価されるゆえんでもある。BTSのディスコグラフィーのなかでも、明らかに重要なアルバムのひとつだ。

Track review
___（花様年華 YOUNG FOREVER）

1 ▸ FIRE

Pdogg, RM
Produced by Pdogg

니 멋대로 살어 어차피 니 거야
애쓰지 좀 말어 져도 괜찮아

好きに生きろ どうせお前の人生だ
あせるな 負けても平気さ

日本語歌詞｜KM-MARKIT

自由でいい そのままで
負けてもいい 進むだけ

KCON 2016で「FIRE」のステージを初めて見て、衝撃を受けた。この曲の不思議な魅力をひも解くヒントは、曲とパフォーマンスから噴きだす、とてつもないエネルギーにある。

「Fire」という叫びとともに爆発するサビから発散するエネルギー。そこには、観衆を熱狂させる何かが存在する。パワフルで心をつかむミュージックビデオはもちろんのこと、サウンド自体がもつ莫大なエネルギーも、ほかの数多のダンス音楽のなかで群を抜いている。もちろん、音楽のテクニックのみを鑑みれば、「FIRE」は現代のK-POPまたはBTSのなかでもっとも洗練され巧みにつくられた曲とはいいがたい。しかし、この曲の強みは、数行のメロディーやラップ、振付そのものではなく、音楽とダンス、それぞれのメンバーの個性がひとつになって生まれるシナジーにある。これは、かんたんに再現や真似ができない、BTSの特徴だ。

2 ▸ Save ME

Pdogg, Ray Michael, Djan Jr, Ashton Foster, Samantha Harper, RM, SUGA, j-hope
Produced by Pdogg

내 심장 소릴 들어봐
제멋대로 널 부르잖아

俺の鼓動を聞いてごらん
思いのままに 君を呼んでる

日本語歌詞｜KM-MARKIT

高鳴る鼓動が
君へ届いてるかな

ジャンルやスタイルを問わず、BTSの音楽はもろく切ない情緒をはらむ。ノスタルジックな気持ちや、守ってあげたいという感情、そして悲しみと余韻は、そこから生まれてくるものだ。「悲劇的」だが、だからといって「悲惨」ではない。このような情緒は、スローテンポでロマンチックな曲以外にも宿っている。「手を差し伸べて」という切ない歌詞を、多彩に変化する上質のトロピカルサウンドに乗せた「Save ME」は、BTSらしい個性に満ちたトラックだ。カチカチという時計の効果音がノスタルジックな感情をかき立てる。インストゥルメンタルのエキゾチックなメロディーと「救い」をテーマにした歌詞が溶けあい、疾走するリズムのなかで、切なさが高まっていく。「Save ME」には、音楽的なディテールが感覚的に配置されている。それは、この曲がしばしばBTSの代表作に挙げられる理由であり、多くの人がなかなか気づかない隠れた魅力でもある。

3 ▸ Epilogue: Young Forever

Slow Rabbit, RM, "hitman" bang, SUGA, j-hope
Produced by RM, Slow Rabbit

오늘의 나로 영원하고파
영원히 소년이고 싶어 나

永遠に今日の俺のままでいたい
永遠に少年でありたい 俺

BTSが青春三部作で表現しようとしたメッセージが集約され、美しい結論に到達する曲。ゴスペルのようなサビと淡々と響くラップが、「永遠に少年でありたい」という叫びに込められた希望と悲しみに絶妙にフィットする。彼らがいう「Youth」とは、単に若者だけでなく、夢を抱くすべての人のこと。RMが初めてプロデュースに参加し、ミュージシャンとしての彼の未来にポジティブな期待を抱かせる。

Review _ *09*

Agust D

（2016年、Agust Dによるミックステープ）

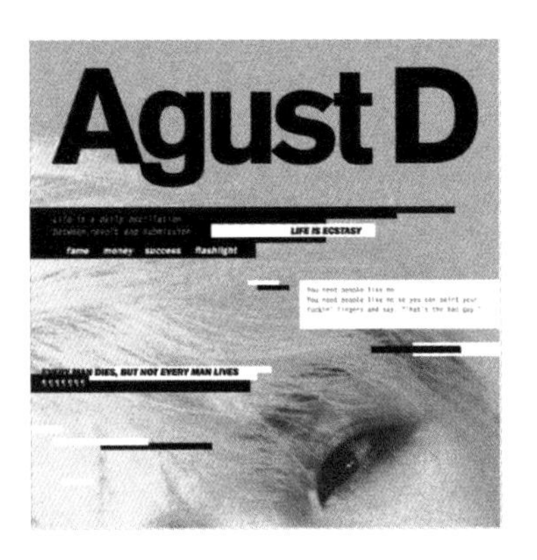

アーティストが新たな名前で作品をリリースすること。そこには、自分を閉じ込めていた枠を破ろうとする決意が込められている。新しい名前は、新たな芸術的な自我と、アーティストとしての知られざるアイデンティティを象徴するものだ。このアルバムのアーティスト名が「SUGA」でなく、「Agust D」でなければならない理由も同じだ。BTSのメンバー「SUGA」に投影された固定観念を振り払い、ひとりのアーティストとしての自分を見せたいという強い気持

ち。それが『Agust D』のもっとも重要な動機のひとつだったに違いない。では、SUGAはなぜ、みずからのアーティスト性を打ちだそうとしたのか。このミックステープが2016年にリリースされたことを鑑みれば、理由が見えてくる。ヒップホップアイドルとしてデビューしたBTSは、インディーズのヒップホップシーンとK-POPアイドルのファンダムの両方から、厳しく批判された。とくに自分たちの出発点ともいえるヒップホップコミュニティからバッシングを受けたのは、ひどくつらいことだった。さらに、ラッパーでありプロデューサーであるSUGAにとっては、BTSの音楽を支持するわずかな人たちが「BTSはRMのグループ」と思っていたのも悔しかっただろう。音楽的に成熟し、華やかなスキルをもつリーダーであり、メインラッパーのRMに注目が集まるのは当然だ。だが、SUGAの立場を考えると、ヒップホップアイドルという枠に押し込められ、自分らしい感性や成長を音楽に投影できなかったのかもしれない。『花様年華』シリーズがリリースされると、BTSはヒップホップアイドルとしてよりも、多彩なボーイズバンドとして広く認められるようになった。それは、彼らを商業的な成功へと導く。

アイドル、プロデューサー、作曲家、ラッパー。SUGAの地位は、以前とはくらべ物にならないほど高く、努力の結晶としてもっとも重要な「成功」も手に入れた。しかし同時に、自分だけの音楽にたいする渇望が強まっていく。『Agust D』が制作されたのは、そんなタイミングだった。RMのファースト・ミックステープは、誰にも引けをとらないスキルを擁するラッパーとして、アイドル以上のミュージシャンたることを証明するものだった。たいして『Agust D』は、ミン・ユンギという個人でありSUGAというプロデューサーでもある人物が、これまで見せてこなかった彼自身と音楽的な潜在能力を存分に発揮するためのものだった。

このアルバムはSUGAの普段の姿をそのまま、いや、それ以上にストレートに映しだす。すべての曲で、ラップのテクニックのディテールや音楽的な慣習にとらわれることなく、荒々しく、切なく、鋭く、心のうちを吐きだす。とくに「마지막 (The Last)」は、彼がBTSの一員として見せるラップと音楽性にかなりなじみがある人でも衝撃を受けるトラックだろう。BTSの音楽よりもメッセージの幅が広く、ニュアンスは複雑だ。子ども時代と練習生の頃、スターダムにのしあがった現在までを淡々と曲に込めている。

成し遂げたことを自慢するのではなく、成功の意味を問う姿は、彼がMCとして成熟している証だ。SUGAの音楽の特徴は、自分への攻撃にたいしては容赦なく切り返しながらも、自我の弱点については素直に認めること。グループにおいてメンバーは、特定のイメージや音楽の一部として記憶されがちだ。SUGAも例外ではなかった。BTSの隠れた才能であり音楽の軸であるSUGA。このアルバムは、彼が確固とした自我(エゴ)をもつミュージシャンであることを、もっともタフでストレートなかたちで明かしている。

Track review
___ (*Agust D*)

1 ▸ Intro; Dt sugA (Feat. DJ Friz)

Agust D, Pdogg
Produced by Agust D, Pdogg

アルバム2曲目の「Agust D」のエディティッド・バージョン。BTSのデビューアルバム1曲目［『2 COOL 4 SKOOL』の「Intro: 2 Cool 4 Skool Feat. DJ Friz」］でスクラッチを担当したDJ Frizが、ふたたびスクラッチを手がけ、古典的なターンテーブリズムヒップホップを披露する。

2 ▸ Agust D

Agust D
Produced by Agust D

ヒップホップには欠かせない、「自己開示」。それがまさにこの曲だ。「Agust D」という名で生まれかわったアイデンティティを、ぶっきらぼうでアグレッシブに、高速かつ正確なラップで表現する。BTSの音楽にも共通するテーマと、アイドルという理由で無視され蔑(さげす)まれる現実にたいする反撃。根底にあるのは、すでに成功への道を走っているという自負心だ。「K-POPというカテゴリー/俺にはサイズが合ってない」という象徴的な歌詞には、普通のアイドルやBTSとは違う、自分だけの音楽をみせたいという欲望が表れる。深く激しく響くベースとスケールの大きいサウンドが、オールドスクール・ヒップホップの影響を感じさせる。

3 ▶ Give it to me

Agust D
Produced by Agust D

BTSのメンバーとして、SUGAがつねに語ってきた、ヘイターたちへのディス［批判］が炸裂する。SUGAは自己弁護をしたり、ほかのラッパーを侮蔑したりはしない。彼のラップは、自分のことは棚に上げ他人をバッシングするヘイターたちへの反撃である。「大きなお世話だ」とヒップホップで伝えているのだ。

4 ▶ Skit

Produced by Agust D

なぜSUGAではなくAgust Dなのか。ミックステープに込めた思いが垣間見えるスキットだ。ひとりの人間とミュージシャンとしての、SUGAとAgust D。この曲以降、彼の内面世界をめぐる旅が始まる。

5 ▶ 치리사일사팔 (724148)

Agust D
Produced by Agust D

オールドスクール・ヒップホップの低いベースの音とともに、SUGAの物語はスタートする。最初の曲は、彼の「成功」の意味について。BTSの音楽でもよく語っていた故郷の大邱（テグ）にここでも触れ、みずからの出自をストレートに明かす。「ルーツを率直に告白してこそ本物の音楽だ」という、ヒップホップのあり方を反映したものだ。音楽に夢を抱いた少年が成功を手にするまでのストーリー。「大邸」と「ソウル」、1カ月の生活費として30万ウォンを受けとる「練習生」と卒業してすぐに親に外車をプレゼントされる「誰か」を、それぞれ対照させているのが面白い。貧しさゆえに、金を得ることが成功の動機となった、幼い頃の彼を飾ることなく振り返る。

6 ▸ 140503 새벽에 (140503 at dawn)

Agust D, Slow Rabbit
Produced by Agust D

ミニマルなビートのシンプルな曲。夜明けに静かに自分と向きあう、SUGAが投影されている。あるがままの姿を表現できず、もうひとつの自我のなかに隠さなければならない状況にたいする絶望と、ふいに訪れる憂鬱な気分。これを「仮面」や「監獄」という言葉で表現した。傷つきやすい自分のもろさを打ち明けている。

7 ▸ 마지막 (The Last)

Agust D, June, Pdogg
Produced by Agust D, June, Pdogg

タイトル曲の次に重要で、アルバムでもっとも印象的なトラックだ。ドラマチックな雰囲気やビート、ラップのテクニックよりも、あふれだす荒々しいエネルギーと率直さが光る。鬱々とした気持ち、強迫概念、隠れた弱さが、ついには自己嫌悪を引き起こし、心が蝕まれていく状態を悲観的に描く。しかし、Agust Dは、憂鬱さに飲み込まれるのではなく、最後にはそれらを圧倒する矜持をもつ。「やる勇気をもたない人」をディスり、成功を享受すべきは 誰なのかを問いただす。2010年に練習生になった「最初の日」からスターになった現在まで、心に抱えてきた鬱憤と悲しみをぶちまけている。

8 ▸ Tony Montana (Feat. Yankie)

Agust D, Pdogg
Produced by Agust D, Pdogg

アメリカのブライアン・デ・パルマ監督が1983年に発表した映画『スカーフェイス』。名優アル・パチーノが演じた主人公、トニー・モンタナは、音楽、映画、漫画、ゲームにいたるまで、さまざまなポップカルチャーで引用され、パロディ化されている。この曲でAgust Dは自身をトニー・モンタナにたとえ、ヒップホップの冷酷な野心家として描写した。トラップビートをベースにした音楽も、残虐で荒涼としたギャング映画のような雰囲気だ。オートチューン機能（音程の補正に使用するオートチューンを極端に設定して人の声の特徴を取りのぞき、機械音のように加工すること）を使った鋭い声で、成功と野望をダークなトーンで語っている。

9 ▸ Interlude; Dream, Reality

Agust D, Slow Rabbit
Produced by Agust D, Slow Rabbit

歌詞は「夢」という単語をくり返すだけだが、タイトルには「夢」と「現実」が併記されている。「夢」をどう解釈するか。それ次第で曲に隠れたニュアンスも変化する。眠っている時にみる夢、叶えたい理想、あるいは空しい希望。Agust Dにとっての「夢」は、そのすべてを意味するように思える。

10 ▸ So far away (Feat. 수란 SURAN)

Agust D, Slow Rabbit
Produced by Agust D, Slow Rabbit

ラッパーとしての鋭い姿の印象が強いが、SUGAはポピュラー音楽のプロデュース能力をもつミュージシャンでもある。彼の音楽性は、とくにSlow Rabbitとともに手がける、ソフトで叙情的な曲で際立つ。現実の世界が「夢」を無理やり押しつけるなか、SUGAはこの言葉の本質を問う。彼は遠い場所への脱出を語るが、この歌詞が真に意味するところは、現実からの逃避ではなく、明るい未来にたいする渇望であろう。

Review _ 10

WINGS

（2016年、フルアルバム）

『WINGS』はBTSが成熟した姿を志し、デビュー以来もっとも大きな変化を試みたアルバムだ。『花様年華』シリーズでキーワードとされた「青春」が、「誘惑」と「試練」というテーマと結びつき、（当時としては）一番暗く重いトーンで仕上げた力作。「Intro: Boy Meets Evil」で悪魔にたとえられた「誘惑」や、タイトルの「嘘」（Lies）や「烙印」（Stigma）などの単語は、テーマが宗教的な意味をふくむことをしめしている。「誘惑された青春」という物語にも、英

雄叙事詩や神話の影響が色濃く感じられる。『WINGS』の音楽的な面での成果は、メンバーたちがグループの一員としてだけでなく、個々の潜在的な力を見せたことだ。初めて本格的に取り組んだソロ曲によって、それぞれのメンバーの音楽的スタイルと方向性が明確になった。このようなオムニバス形式の構成は、その後のアルバムでも生かされている。

青春三部作の「青春」と「成長」というキーワードをベースにしたコンセプトは、『WINGS』でさらに深まり、慰めと激励をテーマにしたリパッケージアルバム『YOU NEVER WALK ALONE』で完成度の高い物語へと帰結する。この2つのアルバムの関係は、まるで一種の問答、あるいは「提示」と「結論」のようにも思える。ヒントを与え、次のアルバムで答えを出すパターンは、『LOVE YOURSELF』シリーズでもふたたび登場するが、そこにはとても哲学的で文学的な意味がふくまれている。

『WINGS』と『YOU NEVER WALK ALONE』は、アメリカにおけるBTS現象を可視化させた。『WINGS』は、ビルボードで26位という、驚くべき成績を収めた。これは1年後に彼らが自己記録を更新するまで、K-POP史上最高の順位だった。「Blood Sweat & Tears/血、汗、涙」は、BTSというグループの表現力と物語がより普遍的に進化しつつあることをしめした。また、『YOU NEVER WALK ALONE』に収録された「Spring Day」は、アイドルのファンダムを超えて幅広い年齢層の心をとらえ、BTS現象が新たな段階に入ったことを知らしめる曲となった。

Track review
__ (*WINGS*)

1 ▸ Intro: Boy Meets Evil

Pdogg, j-hope, RM
Produced by Pdogg

알고 있어 다
이 사랑은 악마의 또 다른 이름
손을 잡지 마

すべて知っている
愛とは悪魔の別名
手をつないだらダメだ

「誘惑」というアルバムのテーマが、「悪魔」という単語でほのめかされる。キリスト教的な世界観のなかで、主人公は苦悩し、試練を通して成長する。パフォーマー、そしてミュージシャンとしてJ-HOPEの潜在能力が発揮された曲。とくにミュージックビデオで見せるソロダンスは、映像全体を支配するほど圧倒的なものだった。

2 ▸ Blood Sweat & Tears / 血、汗、涙

Pdogg, RM, SUGA, j-hope, "hitman" bang, 김도훈
Produced by Pdogg

니가 아닌 다른 사람 섬기지 못해
알면서도 삼켜버린 독이 든 성배

君じゃない誰かに 仕えるなんてできない
知っていたのに 飲んでしまった毒入りの聖杯

日本語歌詞｜KM-MARKIT

君以外じゃもう従いきれない
自ら飲む毒入りの聖杯

デビュー以来、音楽的にもっとも大きな変化を遂げた作品のひとつで、ヒップホップアイドルからポップグループへのクロスオーバーを象徴する曲だ。2010年代半ばから世界的に流行しはじめたダンスホール★と、サブジャンルのレゲトンやムーンバートン★★の影響を大きく受けている。オリジナルのジャンルはパーティーソングの雰囲気だが、このトラックは象徴的なリリックをバロックの神秘主義のイメージと結びつけ、まったく異なる音楽を生みだした。前奏なしで、いきなりJIMINの声で始まる強烈な導入部、動作のひとつひとつが官能的で美しい演出など、すべてにおいて彼らのディスコグラフィーを代表する曲といえる。

★ ジャマイカのレゲエ音楽のひとつ。
★★ プエルトルコで生まれたレゲトンとハウスミュージックを融合した音楽ジャンル。ずっしり響くベースとドラマチックな曲の構成が特徴。

3 ▸ Begin

Tony Esterly, David Quinones, RM
Produced by Tony Esterly

Love you my brother 형들이 있어
감정이 생겼어 나 내가 됐어

Love you my brother 兄貴たちがいる
感情が生まれ 俺は俺になった

独自色の強いサウンドとイントロの編曲が耳に留まる。エキゾチックなメロディーと意外な組みあわせのトロピカルサウンドが、官能的で感覚的なR&Bとマッチし、絶妙な雰囲気をかもしだす。JUNG KOOKの個性的なボーカルが兄弟愛を深く歌い上げ、普通のR&Bとは異なる健全さを感じさせる。

4 ▸ Lie

DOCSKIM, SUMIN, "hitman" bang, Jimin, Pdogg
Produced by DOCSKIM

아직 나는 여전히 똑같은 나인데
예전과 똑같은 나는 여기 있는데
너무나 커져 버린
거짓이 날 삼키려 해

俺は何も変わっていないのに
前と同じ俺が ここにいるのに
大きくなった嘘が
俺を飲み込もうとする

哀しげなストリングスの音色にアコースティックギターのエキゾチックなメロディーが加わり、トラップビートに乗せたJIMINの魅惑的な声が曲を導く。独特なボーカルで悲壮感を高めつつ、サビで曲調が一転。白黒からあざやかな色彩のイメージに変化する。

5 ▶ Stigma

Philtre, V, Slow Rabbit, “hitman” bang
Produced by Philtre

내 죄를 대신 받던
연약하기만 했던 너

> **俺の罪を代わりに受けた**
> **はかなく弱い君**

Vが得意とする中低音からハイピッチのファルセットまで、彼の魅力を詰め込んだネオ・ソウル（90年代中・後半に人気となったR&Bのサブジャンル。ポップサウンドに傾倒したR&Bをジャズやヒップホップと調和させ、「ソウル」の本質に戻る流れを生んだ）の曲。ジャンルの特徴であるロマンチックで官能的なムードとブラスが奏でるジャズ風のグルーヴ感が、ボーカルにくっきりとした輪郭を与える。曲の末尾を飾るファルセットのアドリブが秀逸だ。

6 ▶ First Love

Miss Kay, SUGA
Produced by Miss Kay, SUGA

우리 관계는 마침표를 찍지만
절대 내게 미안해하지 마

> **俺達の関係はピリオドを打つけど**
> **ごめんね なんて言わないで**

プロデューサーとしてSUGAがもつ最大の強みは、正直でみずからを躊躇（ちゅうちょ）なく明かすことだ。だから、彼のメッセージは無理に解釈することなく、そのまま受け入れれば良い。SUGAが率直なのは、

「ヒップホップだから」かもしれないが、音楽のジャンルとは関係なく、彼が真摯なアーティストである証明ともいえるだろう。ピアノを軸にストーリー展開する手法は、映画をほうふつとさせる。

7 ▸ Reflection

RM, Slow Rabbit
Produced by RM, Slow Rabbit

다들 자기가 있을 곳을 아는데
나만 하릴없이 걷네

> **みんな自分の居場所がわかってるけど**
> **俺だけなす術もなくまよっている**

RMらしい叙情的な感性がひときわ光る曲。感情を少し抑えたミニマルな編曲と、電子楽器を演奏するようなシンセサイザーの音色が、RMの研ぎ澄まされた感性が生みだす歌詞の虚しさや美しさを引き立てる。あまり知られていない傑作だ。

8 ▸ MAMA

Primary, Pdogg, j-hope
Produced by Primary, Pdogg

오직 하나 엄마 손이 약손
그대는 영원한 나만의 placebo

> **母さんの手だけが 俺を癒す**
> **君は永遠なる 俺のplacebo**

韓国のヒップホッププロデューサー、Primaryがトラックメイカーとして参加し、ジャズヒップホップの要素が積極的に反映されている。アップビートでポップな雰囲気だが、歌詞は母親に息子が感動的な告白をするという内容で、単に明るいだけはない。J-HOPEのソロアーティストとしての才能が垣間見える。

9 ▸ Awake

Slow Rabbit, Jin, j-hope, JUNE, Pdogg, RM, "hitman" bang
Produced by Slow Rabbit

난 대답했어 아니 나는 너무 무서워
그래도 여섯 송이 꽃을 손에 꼭 쥐고
나 난 걷고 있을 뿐이라고

> **俺は答えた いや 俺はすごく怖いと**
> **でも6輪の花を握りしめ**
> **歩いているだけだと**

BTSには、センチメンタルなバラードとロック風にアレンジされたトラックがいくつかある。「Awake」もそのなかの一曲だ。優雅でクラシックな雰囲気のストリングス・アレンジが秀逸だが、ハイライトはJINのボーカル。繊細なパートから深い情緒を表すセクションまで豊かに表現し、ボーカリストとしてワンランク成長したことが感じられる。

10 ▶ Lost

Pdogg, Supreme Boi, Peter Ibsen, Richard Rawson, Lee Paul Williams, RM, JUNE
Produced by Pdogg

길을 잃는다는 건
그 길을 찾는 방법

道に迷うことは
その道を探す方法

BTSのディスコグラフィーのなかでも、ボーカルのテクニックをもっとも単純明快に印象づける曲のひとつ。音楽的にも、Big Hitのプロデューサー陣のクオリティの高さが光る秀作だ。論理的かつ流れるようなメロディーで、徐々に勢いをつけたあと、炸裂するサビが爽快だ。シンコペーションを多用する難度の高いパッセージを、しなやかに歌いこなすボーカルラインのスキルも優れている。

11 ▶ BTS Cypher 4

C. 'Tricky' Stewart, J. Pierre Medor, RM, j-hope, SUGA
Produced by C. 'Tricky' Stewart, J. Pierre Medor for RedZone Entertainment

I know I know I know myself
Ya playa haters you should love yourself Brr

俺は自分自身をわかってる
遊び人のヘイターズ love yourself

「Cypher PT.1」と「PT.2」がオールドスクール・ヒップホップとギャングスタラップの大胆で古典的な印象を与えるとすれば、「PT.3」はモダンなトラップビートに乗せた強烈なラップが耳に残る曲だった。「4」は、こなれた感じで余裕を見せ、自信にあふれるラップがにぎやかに繰り広げられる。彼らを批判し続けるヘイターたちにたいする忠告の言葉、「love yourself」。このフレーズは、のちにまったく異なる意味をもち、BTSの新しい世界観のテーマとなる。

12 ▶ Am I Wrong

Sam Klempner, James Reynolds, Josh Wilkinson, RM, Supreme Boi, 개코, Pdogg, ADORA
Produced by Sam Klempner, James Reynolds, Josh Wilkinson

뉴스를 봐도 아무렇지 않다면
그 댓글이 아무렇지 않다면
그 증오가 아무렇지 않다면
넌 정상 아닌 게 비정상

ニュースを見ても 何も感じないなら
そのコメントに 何も感じないなら
そのヘイトに 何も感じないなら
君は正常じゃない 異常だよ

アメリカのブルースミュージシャン、ケブ・モの「アム・アイ・ロング」を巧みにカバー。歌詞のもつメッセージは「Silver Spoon/ペップセ」と重なり、「狂った世の中でひとりだけまともでいられるか」と問いかける。洗練されたサウンドがメインのアルバム『WINGS』のなかで、BTSのデビュー初期の雰囲気とメロディーを想起させるトラックだ。完璧でない彼らの魅力を感じることができる。

13 ▶ 21st Century Girl

Pdogg , “hitman” bang, RM, Supreme Boi
Produced by Pdogg

말해 너는 강하다고
말해 넌 충분하다고

言ってよ 君は強いと
言ってよ 君は十分だと

不平や批判の代わりに、励ましや癒しを伝える。それが、BTSのメッセージにおける最大の魅力だ。たいていのアーティストは、いま起きている問題に触れる時、世相を手軽に批判する。だがBTSは、その落とし穴を如才なく避けた。ブリッジを飾るJUNG KOOKとJIMINによるエネルギーに満ちたボーカルアンサンブルを聴くと、難度の高いパッセージを無理なくこなせるほど彼らのスキルが成長したことがわかる。

14 ▶ 2! 3!

Slow Rabbit, Pdogg, “hitman” bang, RM, j-hope, SUGA
Produced by Slow Rabbit, Pdogg

무대 뒤 그림자 속의 나 어둠 속의 나
아픔까지 다 보여주긴 싫었지만

ステージの裏の影のなかの俺 暗闇のなかの俺
痛みまですべて 見せたくなかったのに

ファンに捧げるこの曲が『WINGS』のベスト・ソングのひとつと評価されているのは、異例であり、意味深い。ずっしりとしたビートと繊細な歌詞がコントラストをなし、「悪い記憶は忘れよう。これからは良い日々がやってくる」という心癒されるメッセージがくり返される。

15 ▸ Interlude: Wings

Pdogg, ADORA, RM, j-hope, SUGA
Produced by Pdogg

난 날 믿어 내 등이 아픈 건
날개가 돋기 위함인걸

> **俺は自分を信じる 背中が痛むのは**
> **羽が生えるから**

アルバムのなかで音楽的にもっとも異質な曲だ。80年代に流行していた、シカゴ・ハウス★と90年代のユーロダンスの影響が色濃く感じられる。音楽の面だけでもBTSのディスコグラフィーにおいて興味深いトラックだが、「Interlude: Wings」が重要なのは、アルバム全体のテーマであり、キーワードでもある「翼」についてのメッセージがふくまれているからだ。アルバムの最後の曲であるにもかかわらず、のちに続くシリーズのために「Outro」ではなく「Interlude」と名づけたのもユニークだ。

★ アメリカのシカゴ生まれのエレクトロニックミュージックのジャンル。白人たちの反発によって70年代を席巻していたディスコブームが消えたあと、シカゴのゲイクラブを中心にディスコの復活を図り、生まれたジャンル。

Review _ 11

YOU NEVER WALK ALONE

（2017年、リパッケージアルバム）

Track review
— (*YOU NEVER WALK ALONE*)

1 ▸ Spring Day

Pdogg, RM, ADORA, "hitman" bang, Arlissa Ruppert, Peter Ibsen, SUGA
Produced by Pdogg

벚꽃이 피나봐요
이 겨울도 끝이 나요
보고 싶다 보고 싶다
보고 싶다 보고 싶다

桜が咲いた
冬も終わった
会いたい 会いたい
会いたい 会いたい

日本語歌詞｜KM-MARKIT

桜が花咲き
冬がもう終わるよ
会いたい
会いたい

「青春」のイメージが、懐かしく切ない気持ちのなかで、ほのかに輝く。「Spring Day」は、これまでBTSを代弁してきたヒップホップではなく、ポップとロックの感性をもち、彼らの美学の新たな1ページを開いた曲といえるだろう。一見何の変哲もないビートとアレンジのように思えるが、すべての要素がエレガントに表現されている。異なるパートそれぞれを奏でるメロディーがあざやかだ。とくに「寒い冬が終わりを告げて」という歌詞とともに流れる旋律の、郷愁と哀愁が胸にしみる。春になると誰もが思い浮かべる切なさを描いたミュージックビデオも、深い余韻を残す。決して大衆向けとはいえない曲だが、逆説的にBTSの名を幅広い人びとに印象づけた曲となった。

2 ▶ Not Today

Pdogg, “hitman” bang, RM, Supreme Boi, JUNE
Produced by Pdogg

꿇지 마라 울지 않아
손을 들어
Not not today
Hey Not not today

> **ひざまずくな 泣くものか**
> **手を高く挙げて**
> **Not not today**
> **Hey Not not today**

日本語歌詞｜KM-MARKIT

> **打って出な 好きなら**
> **手あげろ**
> **Not not today**
> **Hey Not not today**

「Not Today」は、挫折した若者にたいする応援歌だ。いかなる不合理や不当、あるいは偏見に直面していても、まだ負けを認める時ではないと、強烈でパワフルなサウンドに乗せて説く。ジャンル的には「Blood Sweat & Tears/血、汗、涙」と似ているが、壮大なスケールの編曲は、80年代末から90年代初めにドイツなどのヨーロッパでトレンドだったスタジアムハウスの影響を受けている。曲全体を包むムーンバートンと、ヴァースのドライでシンプルなサウンドの対比も印象的だ。

3 ▶ Outro: Wings

Pdogg, ADORA, RM, j-hope, SUGA
Produced by Pdogg

내가 가는 길에 울지 않고
고개 숙이지 않어
거긴 하늘일 테고
날고 있을 테니까 fly

道の途中で 泣かない
うつむかない
そこは空で
飛んでいるから fly

「Interlude: Wings」に、フューチャー・ベース★のビートで彩るラップのヴァースを組み入れた曲。J-HOPEのラップが『WINGS』に盛り込まれた究極のテーマをふたたび強調し、アルバムを完結させる。

★ シンセポップ、ガラージ、ハウスなど、エレクトロニック・ポップ音楽の多様なジャンルがミックスされたダンスミュージック。

4 ▸ A Supplementary Story: You Never Walk Alone

Pdogg, "hitman" bang, RM, SUGA, j-hope, Supreme Boi
Produced by Pdogg

이 길이 또 멀고 험할지라도
함께해주겠니
넘어지고 때론 다칠지라도
함께해주겠니

この道が遠く険しくても
一緒に進んでくれるかな
転んだり 時には傷ついても
そばにいてくれるかな

ボーナストラックに近いが、重要な意味をもつ曲。リパッケージアルバムが打ちだした「You Never Walk Alone」というテーマ、つまり進むべき道をともに歩くパートナーとしてのファンと、同じ時代を生きる若者たちへの癒しと励ましを込めている。たんなるコンセプトのレベルを超え、パワフルなメッセージが心に響く。

Interview _ 03

ファンが導くメディア新時代

BTSコンテンツ翻訳アカウント運営者
チェ・ミョンジ @BTSARMY_Salon

BTSが国際的に成功した背景には、ファンダム「ARMY」の活躍がある。
グローバルファンダムであるARMYは、
それ自体が研究テーマになるほど興味深い存在だ。
なかでも特筆すべきは、
主にTwitterで積極的に活動している多くの翻訳アカウント。
すべてボランティアで運営されるファンアカウントで、
歌詞やメディアの報道を英語やそのほかの外国語に翻訳する。
その努力によって、BTSに関するコンテンツは、
ほぼリアルタイムで世界中のファンにシェアされる。
Twitterで18万人を超えるフォロワーがいる
フリーランス翻訳家、チェ・ミョンジさん（@BTSARMY_Salon）に、
ファン翻訳アカウントについて聞いた。

キム・ヨンデ　BTSに関するコンテンツの翻訳を始めたきっかけが気になります。ファンになった時は、翻訳アカウントの運営を目指していたわけではないですよね？

チェ・ミョンジ　BTSのコンテンツをリアルタイムで見るためにTwitterを始めました。BTSが初めてビルボード・ミュージック・アワード（以下BBMAs）に参加した時、多くの外国メディアが取り上げましたが、そのなかにとても心を込めて書かれた英語の記事を見つけたんです。調べたけれど、まだ韓国語に翻訳されていなかった。記事の内容を韓国のARMYと共有したいと思い、悩んだすえに訳してツイートしたのがきっかけです。そのあと、BBMAsについての記事を韓国語に翻訳しているうちに、いつのまにか翻訳アカウントになっていました。

キム・ヨンデ　本業と両立させながら翻訳アカウントを本格的に運営するのは、並大抵の忙しさではなかったはず。毎日のスケジュールや翻訳作業はどのように進めているのでしょうか。リアルタイムでコンテンツに接しなければならないし、かなりの情報量だと思うのですが。

チェ・ミョンジ　以前、BTSが韓国のメディアでまだあまり多く紹介されなかった時は、時間ができると検索して、良い記事を見つけるたびに翻訳していました。でも、最近は記事が多すぎるため、所属事務所がシェアする記事が中心です。あと、メンバーのツイートやコメント、アワードシーズンには受賞の感想などを、できるだけリアルタイムで。ニュースを伝えるTwitterアカウントの数々も、いつもチェックしています。

キム・ヨンデ　韓国語のコンテンツをそのまま読むことができない外国のファンにとっては、翻訳されたものが一次資料になるといっても過言ではありません。きちんと伝えるためには、翻訳する際に文化の違いもふくめてうまく説明する必要があるのでは。

チェ・ミョンジ　そのとおりです。BTSの歌詞には、内包されている意味や言葉遊びの要素がとても多く、曲がリリースされた直後は、韓国のファンであっても意図を把握するのに少し時間がかかるんです。韓国の情緒や社会文化を理解してこそわかる要素もたくさんふくまれています。たとえば、一番難しくて楽しかったのは、「Ddaeng」[RM、SUGA、J-HOPEによる2018年に発表された曲。アルバム未収録]の歌詞を翻訳したこと。「Ddaeng（テン）」はベルが鳴る音や、間違った時のブザー、花札の「サムパルグァンテン」[桜に幕と芒に月の組みあわせで最強の役]などを表す擬音語で、この一文字をさまざまな文脈から説明しなければなりませんでした。花札用語をよく知らなかったので、予習して解説しました。

キム・ヨンデ　BTSのために花札の勉強をしたとは、面白いですね。ファンとしての活動に時間や手間をかけるのは、負担になりませんか？　金銭的なサポートもないのに。

チェ・ミョンジ　新しい情報を待っているARMYのために、できるだけ速く訳さなければなりません。曲やコンテンツがリリースされると、自分で楽しむ前に翻訳に取りかかるため、ちょっと大変です。でも、多くのARMYとリアルタイムで共有し、一緒に楽しみたいと強く願っているので、コンテンツにふくまれる情緒までわかりやすく伝えようと努力しています。

キム・ヨンデ　BTSの歌詞や発言などは、訳語の選び方によっては、海外のファンのあいだで誤解を招く可能性もあるかと思います。プレッシャーも感じるのでは？　とくにTwitterは修正できないうえに、拡散するスピードも速いので、誤訳やミスが気になりませんか。

チェ・ミョンジ　おっしゃる通りです。Twitterはコンテンツをアップすると修正が不可能だから、とくにメンバーが語ったことを翻訳する時には細心の注意を払います。直訳が良いとは限りませんが、リスクを避けるために直訳することも多いです。ただ、意訳する時や文化が違うために説明が必要なケースでは、できるだけ前後に解説を加えて、誤解を減らそうと努力しています。最近は、歌詞や長文の記事を訳す場合は、翻訳した内容をまずブログにアップし、編集したあとで、Twitterにリンクをシェアしています。そこまでやっても誤字やマイナーなミスを見つけた時は、心苦しいですね。

キム・ヨンデ　アイドルのファンを見ていると、良くも悪くもさまざまな理由で意見を言いあっています。悪気がないつもりでも、非難されてしまうかもしれません。とくに外国のファンの場合、国籍や人種が多様で文化が異なるため、コミュニケーションが難しいこともあるでしょう。ポリティカル・コレクトネスにたいする部分も議論になりそうです。特定のメンバーにだけ好意をもつファンもいて、対立が生まれることもある。翻訳アカウントとして、こうしたことに配慮せざるを得ないと思いますが、トラブルを最小化する方法とは？

チェ・ミョンジ　ツイートする時は、いつも気をつけています。翻訳アカウントだからではなく、Twitterには個人の考え方が表れるからです。BTSはファンが多いため、すべてのことに気を払うのはかんたんではありません。ただ、不快なことがあっても、アカウントでは気持ちを見せないようにしています。また、文化的に私が完璧に理解できていない内容の場合は、中途半端にコメントしません。できるだけトラブルの元をなくそうと努力しています。特別なケース以外は、推測で書かれていたり議論になる可能性があったりする記事は翻訳しません。最近ますます、翻訳アカウントのツイートがフォロワーに与える影響の大きさを実感するようになりました。ファンダム内で議論になっているテーマは、個人的な意見をツイートする前に、十分に考えるようにしています。

キム・ヨンデ　K-POP、とくにARMYの翻訳アカウントは、有名人と同じくらい多くのフォロワーがいて、影響力も大きいですね。そのため、翻訳だけでなくあなた個人のつぶやきも、ファンのあいだではインフルエンサーの発言として受け止められることも多々あります。ご自身も意識していますか。

チェ・ミョンジ　自分が有名人だとは思っていません。ただ、先ほどお話ししたように、最近ファンダムが大きくなったこともあり、翻訳アカウントの影響力は否定できないと感じています。翻訳を始めた時もいまも、私はBTSのファンのひとりであることに変わりはないので、実はプレッシャーもあります。ファンアート、映像編集、写真の補正などいろいろなファン活動があるなかで、私はたまたま翻訳を選んだだけ。でも、ファンダムが予想以上に成長したうえに「言葉」を伝えるアカウントであるため、さらに慎重にツイートするようになりました。

キム・ヨンデ　翻訳アカウントを運営しながら、一番記憶に残っているコンテンツは？

チェ・ミョンジ　2018年に発表された『LOVE YOURSELF 轉 'Tear'』のアルバムでカムバック［新しい曲やアルバムを発表する時］した日が、5月18日だったんです。アルバムは光州民主化運動［または「光州事件」。全羅南道光州市（当時）で1980年5月18日に起きた、軍事政権にたいする民衆蜂起］とはまったく関係ありません。でも、カムバックの日にはいつもTwitterでハッシュタグをつけてお祝いするので、韓国の事情を知らない外国のARMYが、気づかぬうちに民主化運動のハッシュタグをつけてしまうのではないか心配でした。そこで、ブログに光州民主化運動についての英語の記事を載せ、関連する映画の紹介を添えて説明し、ハッシュタグで混同しないようお知らせしました。驚いたことに、世界中の多くのARMYが民主化運動に共感を寄せ、その日は特別に韓国語のハッシュタグを使い、思いやりを表現してくれました。

キム・ヨンデ　最初はBTSの音楽やパフォーマンスを消費していた外国のファンが、彼らを通じて韓国という国を理解すべく真剣に努力するようになったのですね。

チェ・ミョンジ ARMYがすごいのは、私の文章を読んだあと、自分の国で起きた民主化運動や社会について語りはじめ、新たな討論の場を築いたこと。BTSのコンテンツを読み解くためには洞察力が必要であるためか、彼らの議論が知的で深い対話に発展することもしばしばです。民主化運動についてのブログは、多くのARMYが送ってくれた資料をもとに書いたものなので、意義深く、やりがいもありました。

キム・ヨンデ そんなポジティブな役割を担っていると考えれば、翻訳は大変でもやりがいを感じますね。

チェ・ミョンジ 文章にふくまれる韓国的な情緒や文化についての説明を読んだARMYが、驚きながらも理解してくれた時、翻訳アカウントとしての役目を果たせたと感じます。また、私の文をベースに多言語で二次翻訳されているのを見るとうれしくなります。

キム・ヨンデ ボランティアで情熱を注ぐ仕事にもかかわらず、当たり前のことと受け止める人もいることでしょう。その一方で、感謝する人も多いのでは。

チェ・ミョンジ 翻訳をしながらARMYにすごく癒されました。社会生活で「おつかれさま」「ありがとう」と声をかけてもらうのは、たやすいことではありません。コメント欄にたくさん書かれた「thank you」という言葉は、私にとって日々のエネルギーとなりました。ARMYとのコミュニケーションから得られるヒーリングは、BTSが与える希望と慰めのメッセージともまた異なる、特別なものです。

チェ・ミョンジ

通訳・翻訳エージェント会社でプロジェクトマネージャーとして勤務したあと、フリーランス翻訳家に。20歳をすぎたらアイドルとは縁がないと思っていたが、ネットで偶然「Blood Sweat & Tears/血、汗、涙」のミュージックビデオを見て、BTSに一目ぼれした。最推しはBTS、2推しはARMY。共訳書(韓英)に『BTS芸術革命』。

Interview __ 04

傷ついた若者のためのメッセージ

文芸評論家
シン・ヒョンチョル

BTSの音楽の魅力を語るうえで重要なのは、独特な世界観とメッセージだ。
彼らの歌詞は荒々しくも叙情的。
哲学や文学の要素も備え、
アイドル音楽の限界点を飛び越えたと評価されている。
BTSの楽曲はなぜ人を惹きつけるのか。
歌に込められたメッセージについて、
文芸評論家のシン・ヒョンチョルと語った。

キム・ヨンデ　対話をリクエストした時に、私たちが「X世代」と呼ばれた時代、すなわち90年代序盤を思いだしました。歌謡界にソテジワアイドゥルが彗星のごとく登場し、すべてを変えた時代。私たちはそれを実際に体験し、目撃しました。ある意味ラッキーでしたね。BTSの『LOVE YOURSELF 結 'Answer'』を聴いた時、「90年代のソテジワアイドゥルと同じように、BTSはいま、K-POPの時代精神について問いかけている」と、レビューで指摘しました。「文化大統領」と称されたソテジワアイドゥルとBTSをくらべることに不満を覚える人もいるでしょう。でも、私には既視感があるのです。

シン・ヒョンチョル　ご存知のように、X世代のカルチャーヒーローはソテジワアイドゥルでした。音楽とパフォーマンス、ミュージックビデオ。すべてが驚異でした。新しいアルバムがリリースされ、『カムバックショー』がオンエアされる日は、歴史的な革命の現場に立ち会うような崇高な気持ちで、テレビを見つめていました。その後、ポピュラー音楽業界は、3大芸能事務所を中心に再編され、K-POPというブランドを確立する過程を見守ってきましたが、1992年から1995年のような驚異をふたたび感じたことはありませんでした。「すごいこと」と「革命的なこと」のあいだには天と地の差があります。「革命的なこと」は、まれにしか起きないからこそ「革命」なのです。正直にいうと、BTSのデビュー初期の曲は、聞き流していました。ソテジワアイドゥルの「教室イデア」を聴いた世代にとってBTSの「N.O」のミュージックビデオは目新しいものではなく、マッチョな男性性にたいする10代のナルシシズムがあふれる「Boy In Luv」も、40代の男性である私は興味が湧かなかった。その後、『花様年華』シリーズと『WINGS』にも関心が向きませんでした。ところが、2017年だったでしょうか。ビルボード・ミュージック・アワード出演がマスコミで大きな話題になり、それを機に聴いたのが、「MIC Drop」です。20年前のソテジワアイドゥルと同じ驚異を感じました。

BTSのディスコグラフィーをさかのぼって「Not Today」と「FIRE」を知った時には、愕然としましたね。

キム・ヨンデ　挙げた曲のタイトルで、シン・ヒョンチョルさんがおっしゃる「驚異」の意味がわかりました。ソテジワアイドゥルといえば、彼らが登場する以前からラップとダンスは韓国にも存在したけれど、ソテジワアイドゥルが「I Know」［1992年にリリースされたデビューアルバム『Seotaiji and Boys 1』の収録曲］をステージで歌うのを見た瞬間、「これは、まったく違う」と気づいた。そのディテールを説明するのはかんたんではありませんが、私が聴いている、舞台の上で繰り広げられている何かが「違う」と、体が反応したんです。BTSの音楽を聴いた時も、そんな感じだったのでしょうか。

シン・ヒョンチョル　「良い」というのは、すなわち「ほかのものとは差がある」こと。従来のものより、一歩進んでいる、さらに洗練されているということです。ただ、時には「どうやったらあんなレベルに到達できるのだろう」と納得できないほど大きな差が生まれるケースもあります。先ほど挙げた3つの曲を聴いた時、私はそんな「納得できないほど大きな差」を感じました。BTSの音楽とパフォーマンス、ミュージックビデオ。そのすべてが結びつき、ほかのものとはっきり差別化されていたんです。こんな三位一体の驚異は——私が韓国のポピュラー音楽を熱心にフォローしていない時期があったせいかもしれませんが——、ソテジワアイドゥル以来初めてでした。

キム・ヨンデ　文芸評論家にBTSが与えた衝撃は、単にサウンドやビジュアルだけではないと思います。私は長年K-POPについてリサーチしていますが、『花様年華』と題した青春三部作と、それに続くアルバム『WINGS』は、歌詞がもつメッセージだけを見ても、非常に際立っていると思います。何よりも興味深いのは、青春の夢、幸せ、誘惑、挫折、希望などのストーリーが、一貫したテーマ意識のもとで音楽とブレンドされていること。そのすべてがメンバーひとりひとりの性格と深く結びついています。これほど完璧なコンセプトをもつK-POPアイドルは、初めてです。

シン・ヒョンチョル　BTSのディスコグラフィー全体がひとつの宇宙のようなもの、いわば「BTSユニバース」を形成していて、数曲だけでは全容を把握できないことは、私もよく知っています。文芸評論家として興味深いですね。グループのメンバーそれぞれをキャラクター化し、持続的にストーリーを生んでいく例は、これまで見たことがありません。BTSは、スターの生活を華やかに描いたフィクションを、一方的にファンに伝えたりはしない。彼らは、現代を生きる若者が普遍的にもつ感情を引きだし、まるでファンが自分を投影するスクリーンのようなナラティブをつくるのです。この物語の作り手と受け手は一心同体のように見えます。

キム・ヨンデ　興味深い表現ですね。時代を築いた曲や普遍的な価値があるとされた音楽は、作品が完璧であるというよりも、曲（あるいは作り手）と受け手のあいだに密接な相互作用があったのでしょう。音楽的要素が80％で、残りの20％はリスナーとの関係によるものではないかと。「BTSユニバース」で共感が実現する鍵は何だと思いますか。

シン・ヒョンチョル　実は、私はまだBTSユニバースを完全には理解できていません。ただ、彼らの物語のテーマの根底にあるのは、10代から20代の「存在論的脆弱性」（傷つきやすさ）ではないかと考えました。青年期を生きる人びとは、家族や友だちという集団のなかで、有形、無形の暴力を受け、傷を負います。しかし、その世代が重要な受け手となっているメインストリームのポピュラー音楽は、陳腐なジェンダーロールを再生産する誘惑のレトリック（「my baby!」）に長いあいだ占領され、若者の傷にはあまり関心をしめしませんでした。その溝を埋めたのが、BTSの『花様年華』シリーズや『WINGS』なのだと思います。デビュー後、さまざまな悪条件やヘイターからのバッシングのなかで傷つきながら成長してきたBTSが、自分たちの成長物語を綴っていく。同世代のファンたちは、彼らの歌のなかに自分自身を発見したのでしょう。

キム・ヨンデ　興味深いことに、『LOVE YOURSELF』シリーズは、「自己愛」または「自己肯定」をテーマに掲げました。BTSの音楽にあまりなじみがない人にとっては、少し唐突に思えたかもしれません。でも結局は「若者の気づき」について語っていて、前作の内容と重なります。それがさらに切実に感じられるのは、彼らのアイデンティティにストレートに関わっているからだと思うんです。

シン・ヒョンチョル　『LOVE YOURSELF』シリーズの最後を飾る曲「IDOL」で、こんなフレーズが目に留まりました。「俺のなかに何百人もの俺がいる。今日もまた新たな俺に出会う。どうせ全部俺だから。悩まずにただ走るんだ」すぐに心に浮かんだのは、日本の小説家、平野啓一郎の『私とは何か　「個人」から「分人」へ』[2012年、講談社]でした。本にはこう書かれています。「一人の人間は、「分けられないindividual」存在ではなく、複数に「分けられる dividual」存在である」。つまり、自分のなかに自分が何人かいる。特定の誰かと関係を結べば、その人とのあいだだけに存在する「私」が誕生するという意味です。

キム・ヨンデ　まさにそれが、「「IDOL」はBTSがデビュー当初から抱いてきた問題意識にたいする究極の（もちろん現時点での）結論だ」と感じた理由です。ヒップホップアイドルという矛盾した存在であることは、彼らにとって致命的ともいえるウイークポイントでした。しかし、BTSはこれを蔑むことなく、自分の価値を肯定するメッセージへ転化します。「アーティストまたはアイドルのどちらかではなく、両方とも俺自身」と認め、「たとえ何であろうと、自分らしくあれば自由でいられる」と。

シン・ヒョンチョル　ちなみに、平野啓一郎が『私とは何か』を書いたのは、日本の若者のなかに自殺願望をもつ人が少なからずいるからだそうです。命を絶つ決心をする人は、自分に価値を見いだせなかったのかもしれません。でも、「私」がひとつではなく、いくつか存在するのなら、なかにはお気に入りの「私」もいるでしょう。平野啓一郎は、そんな「私」（分人）を認めてくれる他者とともに過ごす人生に価値があると説きます。つまり、「私」がいくつか存在すると考えれば、自分をもっとポジティブにとらえられるようになるのです。これは結局、「あなた自身を愛しなさい」というBTSのメッセージと重なりませんか？　私はそう思いました。
キム・ヨンデ　BTSの音楽に感動するだけでなく、「癒された」という人が多いのは、それが理由かもしれませんね。さらに興味深いのは、このような癒しを、韓国人のみならず世界中のBTSファンが感じていることです。ポジティブなメッセージが、難解な曲ではなく、アップビートでスウィートな「ポップ」ミュージックを通じて広がっている点にも驚きました。
シン・ヒョンチョル　BTSとファンが共有する「若者の傷つきやすさ」というテーマが世界的に共感を呼んだ背景には、現代的な社会背景も絡んでいると思います。ご存知のように、私たちが暮らす世界を支配する新自由主義体制は、個人に熾烈（しれつ）な競争を強要し、結果、絶対多数が敗者となる。この体制がずるいのは、「社会構造による不幸」を「個人の失敗」が原因であるかのように巧みに見せかけていること。「あなたが不幸なのは経営に失敗したからだ」「勝者になるためには、もっと過酷に自分を搾取しろ」という声を聞きながら、私たちは「自分と戦争をする人間」（ハン・ビョンチョル著『疲労社会』（2012）より）になっていきます。
キム・ヨンデ　BTSは、若者たちが「N放世代（エヌポ）」［厳しい経済状況によって、恋愛、結婚、出産などをあきらめる若者たちを指す造語］と呼ばれることに反発します。なぜなら、そのようなレッテルは、「あきらめる」という行動を過度に強調してしまうから。社会の被害者であるはずの若者が、「彼らが失敗する原因は努力と意志が足りないこと」と誤解される可能性があるからです。夢と幸せの意味を探求した彼らが、「Paradise」で「止めても大丈夫、夢がなくても大丈夫」と歌うのは少し衝撃的ですが、これは敗北主義やニヒリズムとは明らかに違うと思います。若い世代だけでなく、現在の韓国社会を導いている上の世代の人までもが癒される理由も、同じではないでしょうか。

シン・ヒョンチョル　新自由主義体制がつくったシステムの最大の被害者はいまを生きる青年たちだと、誰もが知っています。そして、少し年下のティーンエイジャーは、青年世代を見て、迫りくる絶望に備えているのです。このような条件のなかで、ごく少数の（未来の）勝者をのぞいた大多数の（未来の）敗者は、自己嫌悪に陥る可能性が高い。その後、さまざまな悲劇が起きると予想されます。自己嫌悪を克服するために、罪のない他者を憎む人もいれば、心を病んで加害者であると同時に被害者になる人もいるかもしれません。成長は傷や痛みを伴う可能性を秘めている。でも、新自由主義のせいで、さらに自己嫌悪が高まり、自分を傷つけてしまうのです。このような文脈で見ると、BTSの次のような最近のメッセージは、とても自然で適切なものに感じます。

> **Be yourself**
> **Speak yourself**
> **Love yourself**

彼らが伝えたいのは、「ついに私たちは自分自身を愛することができた。あなたも自分を好きになれますように」ということ。ある比較論にこう書かれていました。「ヒップホップは、勝者が感じる陶酔をスワッグという言葉で表現し、それを新自由主義システムで大量に生みだす。一方、BTSは、すべての人はありのまま愛される資格があるとメッセージを送る」。その通りだと思います。

キム・ヨンデ　一部には、BTSの「あなた自身を愛して」というメッセージはナイーヴすぎると考える向きもあるようです。こうした見方についてどう思いますか？

シン・ヒョンチョル　「Love yourself」という「BTSのマントラ★」について、ありがちな癒しブームの変わり種にすぎないという人もいます。でも、批判する前に、それが世界の若者に与えている影響を、謙虚に受け止めるべきでしょう。BTSのマントラが、若者を自己嫌悪から救い、「防弾」服のように彼らの心を守ることができるとすれば、最高ですよね。

★ サンスクリット語。他人に恩恵と祝福を与え、自分の体を守り、精神を統一し、悟りを得るための呪文のようなもの。

シン・ヒョンチョル

文芸評論家。1976年生まれ。1995年春から10年間、ソウル大学国語国文学科で学んだ。2005年に文学評論を書きはじめ、2007年夏から季刊『文学トンネ』編集委員。2008年冬に初の評論集『没落のエチカ』を出版した。著書に『フィーリングの共同体』『正確な愛の実験』『悲しみを学ぶ悲しみ』。光州広域市にある朝鮮大学文芸創作学科教授。

第3章

BTS

the World's Most Popular Pop Group

地上最高のポップグループ BTS

『花様年華』で新しいモデルをしめしたBTSは、
『LOVE YOURSELF』シリーズで、
みずからの音楽のクオリティとレベルを新境地へ導く。
そして彼らは、K-POP最高のグループを超え、
世界のポピュラー音楽の勢力図を塗り替える瞬間を迎える。

Column — 04

ARMYが開いたK-POP談論

「ヒップホップアイドル」と「偽りのない物語」に代表されるBTSの「脱K-POP」的な方法論は、グローバル市場に向けて無国籍または国籍を超えた商品を目指す従来のアイドル産業からみれば、大きな変化だ。そして、YouTubeやSNSなどニューメディアの特性とフィットし、前例のないインターナショナルな「現象」をつくりだした。しかし、BTS現象は、人気の大きさと本質において、ほかのアイドルとは根本的に異なっている。もっとも重要なのは、この現象は「バイラル」[口コミでじわじわと広がっていくこと]ではなく、強固なファンダムに基づくということだ。また、従来の「韓流」とは異なるリスナー層を多く魅了したという点で、一般的なK-POPブームの流れとは切り離して考える必要がある。BTSがK-POPシーンが生んだグループであり、基本的にK-POPのファンダムをベースに成長したことは、疑いの余地がない。だが、BTSが初めてアメリカに登場した2014年以降、状況は急変している。BTSはK-POPを超えた幅広い音楽ファンの心をとらえ、ファンたちがオンラインとオフラインで、みずからを「K-POPファン」ではなく「BTSファン」だと定義しているのが興味深い。特筆すべきは、この流れがアメリカ市場を中心に起きていることだ。

アメリカにおけるBTSの歩みとファンダムの成長をたどると、その流れがよりくっきり見えてくる。「Column_01」でふれたように、BTSは2014年、ロサンゼルスで開催されたKCONに新人パフォーマーの一グループとして参加し、ファンミーティングとライブで、想定外の好感触を得た。KCONのステージを起爆剤に、BTSの人気は翌年スタートする全米ツアーを通して、アメリカ国内に広がっていく。2015年、『花様年華』がSMやYG、JYPのような大手ではない芸能事務所が制作したアルバムとして、ビルボートのチャートに初めてランクイン。BTSがアメリカのメディアから注目とサポートを受け、大きな一歩を踏みだしたのはこの時期だ。2017年には、ビルボード・ミュージック・アワード（BBMAs）で受賞し、アメリカン・ミュージック・アワード（AMAs）に出演した。アメリカのメインストリームの音楽産業からの相次ぐラブコール。これは、BTS現象を韓国よりもアメリカが先に認めたこと、BTS現象はアメリカで生じたことを暗示するものだった。さらに2018年、BTSがふたたびBBMAsに受賞者として参加した頃から、「彼らの米国での人気はK-POPというカテゴリーを完全に超えた」とみる評論家たちが少しずつ増えてきた。

「アメリカ発」となったBTSの成功の本質と、その独特な現象を知るためには、2017年にアルバム『LOVE YOURSELF 承 'Her'』がリリースされた当時、米国のK-POPコミュニティで巻き起こった論争に注目する必要がある。それはまさに「BTSはK-POPか否か」という議論だった。いわゆる「ファン戦争」（fan war）と呼ばれる、「どちらのグループが優れているのか」という舌戦は、韓国だけでなくアメリカのK-POPコミュニティでもよくあることだ。とくにきっかけや理由があるというよりは、人気があるグループのファンダム同士がネット上で会話するなかで、時には健全に、時には殺伐と戦線が拡大する。しかし、BTSをめぐる論争は、いくつかの面で非常に独特だ。議論は特定のファンダム同士のライバル関係から始まったのではなく、K-POP掲示板サイトやTwitterなどを舞台に、K-POPファンダムとBTSファンダムのあいだで起きた。BTSが米国内で成功しはじめた頃からK-POPファンダム内でBTSの存在感が高まっていく。そんななか、BTSのファンダムとK-POPのファンダム間で、「BTSの音楽は何が違うのか」をめぐる論争が勃発したと推測される。

この争いの構図は、単にファンの音楽的な趣向の違いから生まれたわけではない。BTSの成功がさまざまな面できわめて例外だったことが原因だ。アメリカを射程に入れて準備したグループではなかったにもかかわらず、結果的にもっとも大成したのがBTSだった。「ビッグ3」と呼ばれる大手芸能事務所出身ではないグループとして、初めてビルボードにランクインしたことから、彼らの成功の陰には多くのファンのサポートがあったと推測された。アルバムチャート26位を記録し、K-POPの歴史を塗り替えた『WINGS』、2017年のBBMAsでの受賞とAMAs出演は、いずれもBTSがつくった業績がいかに突出しているかを浮き彫りにした出来事だった。そしてこの時期に、もともとK-POPファンのあいだでBTSとそのファンを揶揄する言葉として使われていた「BTS-POP」が、完全にポジティブな意味に生まれ変わる。ARMYのBTS-POP宣言は、SNSやウェブサイトのReddit、K-POPポータルサイトAllkpopなどに広がり、時には音楽についての真剣な議論へと発展。時間が経つにつれ、BTSを従来のK-POPと切り離して理解しようという試みへと進化していった。

ファンではない人から見ると、K-POPファンにありがちな論争に思えるかもしれない。もちろん、すべての歌手のファンが、このようにアーティストを分類し、議論を楽しむわけではない。だが興味深いのは、この現象がこれまで「韓流ファン」または「K-POPファン」とひとくくりにされていた、米国内のK-POPファンダムの変化を暗にしめしていることだ。K-POPが本格的に世界市場をターゲットにすえた、2000年代半ば以降の状況を振り返ってみよう。続々と登場したK-POP関連のブログやオンラインマガジン、ソーシャルメディア・サービスなどを通じて、爆発的に勢力を拡大したアメリカ国内のK-POPファンダム。主な特徴は、オンラインでよく「K-POPPER」と称される、「マルチファンダム」[雑食のオタク]であることだ。広義では「韓流ファン」の一種といえる米国のK-POPファンダムは、基本的にドラマ、映画、音楽など、韓国のサブカルチャー全般を好み、音楽では自分がもっとも好きな「bias」[推し]グループをふくめ、そのグループが所属する芸能事務所がリリースするアーティストや曲を推す傾向がある。「マルチファンダム」志向は、この10年以上、K-POPをふくむ韓国エンターテインメントをアメリカに紹介してきた有力メディアのKoreaboo、Scoompi、Allkpopや、K-POPを取り上げる掲示板サイトRedditなどにも同じように表れていた。

米国内のK-POPファンダムにおける「マルチファンダム」は、BTSが登場する以前から韓国エンターテインメント業界全体を支え、それは現在も続いている。一番わかりやすい例が、K-Cultureフェスティバル「KCON USA」だ。PSYの「江南スタイル」がブームとなった2012年、韓流ウェブメディアKoreabooとCJが初めて企画したKCONは、毎年目覚ましい成長を遂げ、2018年にはロサンゼルスだけで10万人近い来場者を動員した。宿泊費と航空運賃だけでひとり当たり200万ウォン以上のコストがかかるこのイベントが飛躍的に発展しているのは、K-POPファンが増え続けている証といえるだろう。そんななか、風向きがかすかに変化するのを感じた。BTS現象とARMYの出現である。BTSの例外的な成功の軌跡については前述したが、彼らのファンダムであるARMYも、従来のK-POPファンダムの枠を超え、新たな層へと広がっている。たとえば、2016年のKCONのライブ会場の雰囲気は、ほかにも有名なアーティストが多く参加していたにもかかわらず、まるでBTSの単独コンサートのようだった。BTSが本格的に人気を博す前だったことを鑑みれば、驚くべきことだ。当時すでに、アメリカ国内でこれまでのK-POPファンダムに引けをとらないレベルのBTSのファンダムが生まれていたと推測できる。その後、BBMAsやAMAsなど、K-POPが征服不可能だったステージに立ち、BTSの独走態勢はさらに強固になった。このような流れは、単に現場で体感した反応やチャートの結果だけでなく、Googleトレンドのようなビッグデータにも表れている。アメリカでは2016年から、BTSに関する検索の数が「K-POP」を上回り、以降、その差が最大6倍に達した。もちろん、「K-POP」というキーワードやそのほかのグループの検索数も増えている。BTSとK-POPは排他的な関係ではなく、部分的に独立しながら共存しているというわけだ。つまり、アメリカ市場におけるBTSの活躍とファンダムの広がりは、K-POPの成長と似た軌道を描く。だが、BTSはK-POPのマルチファンダム文化に亀裂をもたらし、独自の路線を歩みはじめているとみるべきだろう。それはまた、「韓流」というキーワードで説明されてきたK-POP研究に、新しい視点が必要となったことも意味する。

重要な質問に戻ろう。アメリカのARMYの手堅い支持を集めた、BTSの魅力とは何だろうか。BTSが「ほかと違って特別」である根拠としてファンが挙げるのは、音楽の独創性だ。「BTSの音楽は米国のポップ・ミュージックがベースにあるにもかかわらず、これまで接してきたアメリカンポップスとも、K-POPとも異なる」とファンはいう。BTSの音楽は相対的に韓国的な要素が強いという主張もある。BTSは、ほかのK-POPアイドル音楽とは違い、「恨」と「悲しみ」の情緒を宿し「青春」について語り、社会と世相を批判する。もうひとつ指摘されるのが、前述したように歌詞と姿勢が真摯であることだ。米国のファンはBTSの音楽を表現する際、「genuine」[真実]、「authentic」[偽りのない]、「raw」[加工されていない] などの単語を好んで使い、これが従来のK-POP、とくにアイドル音楽とは異なる重要なポイントだと口をそろえる。もちろん、人びとの音楽にたいする評価はとても主観的であり、アーティストの真摯な心を作品だけで確かめるのは不可能だ。しかし、BTSの音楽とリリックに注意深く耳を傾けたことがある人なら、こうした意見が出る理由を理解できるだろう。ファンが「ほかと違う」と主張するのは、曲という成果物だけではない。音楽をつくる過程と姿勢そのものも「特別」なのだ。何度か言及したように、BTSはK-POPアイドルグループのなかでも、とくにメンバーひとりひとりの視点を積極的に反映したグループだ。曲作りに参加し、表面的な内容ではなく自分が感じたことをストレートに盛り込み歌詞を書く。このような姿勢は、ヒップホップやパンクのアーティスト精神でもっとも重要とされる「本物であること」の条件を満たす。これまでのK-POPアイドルの音楽が、さまざまなジャンルをカバーする作曲家たちによるソングライティングキャンプ方式でつくられたのにたいし、BTSはBig Hitのプロデューサー陣とメンバーが、苦楽をともにしながら創作する。BTSがK-POP産業のメインストリームを成す「ビッグ3」と呼ばれる大手芸能事務所の出身ではないことも、彼らの音楽に意味を与え、差別化させた間接的な要因だ。「メインストリームのK-POP」という権力のなかで、あまり注目されなかったBTSの立ち位置が、音楽にストレートに投影されているとファンはとらえている。メッセージと偽りのない姿勢にとくにこだわるアメリカのリスナーに、BTSはK-POPアイドルの意外な面を見せ、ファンに一種のプライドを与えた。そしてこのプライドは、自発的かつ情熱的なファンダム活動の大きな原動力となった。

興味深い変化が次々と表れている。BTS-POPとK-POPの違いを主張する人や、これに同意する人の一部が、「自分はK-POPファンではない」と意識するようになった。それだけでなく、彼/彼女たちはK-POP、とくに全般的なアイドル音楽にたいして無関心だったり、時には否定的な見方をしたりすることもある。BTSがアメリカに登場した2014年以降、私はさまざまなK-POPフェスティバルやコンサートでBTSのファンに会い、語りあった。そんななか、「BTSは好きだけど、ほかのK-POPアイドルには興味をもったことがない」という話をよく聞いた。K-POPファンはいろいろな韓流コンテンツを好む「マルチファンダム」だと思っていた私にとって、BTSファンの言葉はかなり衝撃的だった。私がこの新たな潮流に注目したのは、前述したように、これがアメリカ国内におけるK-POPファンダムの変化を意味していると推測したからだ。K-POPのグローバル化と現地化(ローカル)は、つねに「韓流」という大きな枠組みを想定し、K-POPはそのサブジャンルとして位置づけられてきた。これはジャーナリズムと学界をはじめとしてすべてに共通する見方であり、いまでも当てはまるケースが多い。このように分析せざるを得ないのは、ある意味当然だった。アメリカにおける韓国文化の消費の担い手はごくわずかで、いわゆる「オタク層」によるものだと考えられていたためだ。しかし、BTSの抜きんでた成功とK-POPというジャンルを超えた存在感、アクティブなファンの活躍は、今後、K-POPにたいして新たな観点が必要であることを示唆している。

世界におけるK-POPのファンダムの歴史を、北米市場にフォーカスして振り返ってみよう。K-POPがアメリカに上陸する以前、つまり2000年代序盤まで、K-POPファンは、主に韓国系やアジア系アメリカ人で構成されており、少数派ながら熱心なネットワークを形成していた。そのなかには、アジアのカルチャーや言語に興味をもつ、もともとJ-POPのファンだった白人/ヨーロッパ系のアメリカ人もいた。しかし、2005年にYouTubeが誕生して以来、K-POPのファンダムはアジア系や一部のマニアックな白人だけでなく、黒人、ラテン系をふくむ幅広い層へと急速に広がっている。そのほとんどは、以前はK-POPには無関心で、韓国文化にもなじみがない人たちだ。彼/彼女たちはBTSをK-POPだと意識しながら消費するのではなく、アリアナ・グランデやジャスティン・ビーバー、ワン・ダイレクションと同じようなポップスターとしてとらえている。「K-POP」と「韓国のアーティスト」というレッテルを貼らずにファンダムを俯瞰すると、2つの異なる流れが見えてくる。

BTSの登場と成功は、K-POPのファンダムを2つに分けたという点で、ある種の革命だ。BTS現象がもたらした市場の拡大や人種の多様化、音楽市場のメインストリームでの成功などによって、これまで大きな流れとしてとらえられていたK-POPのファンダムに、もうひとつの重要な流れが生まれつつある。これを受け、K-POPのファンダムにたいする固定観念を、根本的に見直すべきかもしれない。K-POPシーンから誕生するも、その公式にしたがわなかったBTSの成功、そしてK-POPのマルチファンダムから独立したBTS-POP。これらを踏まえ、今後、K-POP産業の戦略と消費のあり方を分析する際には、新たな観点が必要となるだろう。究極的にBTS現象は、K-POPの未来が、K-POPのカテゴリーにとらわれない「個別化」と「脱韓国」に帰結する可能性をしめしている。

Interview __ *05*

韓国ポピュラー音楽界の視点

韓国大衆音楽賞（KMA）選定委員長
キム・チャンナム教授

BTSは外国で本当に評価されているのか。
そんな懐疑的な見方は、BTSがアメリカをはじめとする海外で高い人気を集め、
大手メディアのスポットライトを浴びはじめたことで、徐々に消えつつある。
しかし、大半はYouTubeのリアクションビデオのように「海外での反応」を紹介するだけだ。
韓国のポピュラー音楽シーンにおけるBTSの音楽の位置づけや、
彼らがどんな音楽的な達成を成し遂げたかは十分に論じられていない。
そんななか、BTSが韓国大衆音楽賞(Korean Music Awards 以下KMA)を受賞したことは、
彼らのレベルを客観的にリサーチするうえで重要な根拠となる。
人気が主な基準となるほかの賞とは異なり、KMAは音楽的な成果を一番重要視する、
韓国で唯一の批評家目線の音楽賞だからだ。
音楽性を重んじる評論家たちは、BTSをどう評価したのだろうか。
選定委員長のキム・チャンナム教授と、選定委員を務める筆者が語りあった。

キム・ヨンデ　BTSが韓国ポピュラー音楽の歴史を塗り替えています。とくに海外の反応はますます凄いことになっていますが、なかでもポップスの本場、アメリカでの成功には驚きました。2010年代以降、世界におけるK-POPは、「PSY」と「BTS」という2つのキーワードに要約できると思います。私も子どもの頃、アメリカンポップスをよく聴いていましたが、キム・チャンナム先生は「ポップ」といえばアメリカの音楽を指す時代［韓国では90年代半ばまでは韓国の曲を「歌謡」と呼び、「ポップ」はアメリカンポップスを意味する言葉だった］を生きてきました。80年代から韓国ポピュラー音楽が発展する過程を研究している評論家、社会活動家として、K-POPの海外市場での成功、とくに米国市場でBTSの成功は、感慨深い出来事かと思います。

キム・チャンナム　その通りです。ラジオでアメリカンポップスを聴いて、英語の歌詞をハングルで一生懸命書きとり、曲に合わせて歌った時代をあらためて思いだします。当時、ビルボードは、はるか遠い世界の話でした。70年代後半に日本のピンクレディーがビルボードにランクインした時も「やっぱり日本は先進国だな」と思いました。いつか韓国の曲がビルボードのチャートに入るとは、まったく期待していませんでした。ところがいま、アメリカのファンが、BTSの韓国語の歌詞を英語で書きとっていると聞きました。韓国語で大合唱する姿も見ました。思えば、すごいことですよね。

キム・ヨンデ　BTSの成功は例外的な現象と見るべきか、K-POPのメインストリームの成功、あるいは、韓国のポピュラー音楽シーン全体のレベルが向上した証拠ととらえるべきなのか。まだ、断定できない部分があります。

キム・チャンナム　「世界を制覇した」「BTSが国家の威光をしめした」と愛国心に酔うのは私のスタイルではありません。でも、誇らしく感じるのも当然だと思います。ただ、BTSの成功は、必ずしも喜ばしいだけではありません。PSYやBTSは、韓国ポピュラー音楽全体の発展や成功を意味するものではないからです。彼らの栄光の裏には、ジャンルや世代の多様性の面でどんどん脆弱になっている韓国の音楽シーンの現実が存在しています。BTSの成功神話を、韓国のポピュラー音楽全体の成功と誤解しないよう、慎重になるべきでしょう。

キム・ヨンデ　先生が選定委員長を務めるKMAでは、2018年初めにBTSが「今年のアーティスト」部門で受賞しました。2019年のKMAでもBTSは主要部門にノミネートされ、受賞するかもしれません。商業的な成功と記録でジャッジする一般の音楽賞にくらべて、音楽的な成果をもっとも重要視するKMAで受賞やノミネートされることには、重要な意味があるように感じます。選定委員長として、どのように見ていますか。

キム・チャンナム　KMAの「今年のアーティスト」は、音楽の芸術的なレベルとともに、一年間の活動と音楽シーンに及ぼした影響力、社会的な波及効果まで、総合的に評価する部門です。その意味で、BTSの受賞は当然だったと思います。2019年は、KMAもどんなかたちであれ、BTSの成果について踏み込んだ議論と評価をおこなわなければいけないと考えています★。

キム・ヨンデ　KMAの特徴を鑑みると、アイドルグループとして初めて「今年のアーティスト」に選ばれたのも大事なポイントだと思います。グラミー賞でアメリカのアイドルが「年間最優秀アルバム」「年間最優秀レコード」をもらうのと似ていませんか。今年KMAでBTSがふたたび主要部門を受賞することになれば、KMAだけでなく韓国ポピュラー音楽界においても歴史的な記録となることでしょう。

キム・チャンナム　KMAはアイドル音楽を無視しているという声

★ BTSは2019年の第16回KMAで、ふたたび「今年のアーティスト」を受賞した。2年連続で同賞に輝いたのは、K-POPグループとしてはもちろん、KMA史上でも初めてだ。このほかにも「FAKE LOVE」で「今年の歌」「最優秀ポップ・ソング」部門を受賞した。

もありますが、それは誤解です。これまでの受賞歴を見ればわかるように、決してそうではありません。ジャンル別に賞を設けているKMAの特性上、インディーズミュージシャンにより多く賞を与える傾向があるだけです。もちろん、アイドルグループの音楽もかなり進歩しています。みずから作曲するアーティスト型アイドルも増えました。個人的な意見ですが、BTSは現在までのK-POPのトレンドで、もっとも進化したグループです。目覚ましい外面的な成果に隠れてしまい、音楽的な真価が見えにくいのかもしません。商業的な実績とは関係なく、彼らの音楽を偏見を抜きにして評価するべきです。

キム・ヨンデ　色々なメディアが、BTSの音楽と成功について分析しています。私は彼らを「K-POPの新しいモデル」と評しました。私よりも長いあいだ、韓国ポピュラー音楽を見つめてきた先生が考える、BTSならではの成功の秘訣とは何でしょうか。

キム・チャンナム　良い音楽、カッコ良いダンス、レベルの高いミュージックビデオ、卓越したファッション感覚とルックス、同世代の共感を引きだす歌詞、ファンとの活発なコミュニケーション。こうした一般のメディアの分析には、おおむね共感します。ただこれらは、ほかのアイドルも備えていたり、追求していたりするものですよね。つまりBTSは、それぞれの要素をより一生懸命に強化した結果、快挙を成し遂げたのだと思います。

キム・ヨンデ　アイドル音楽があふれるなか、BTSはいろいろな面で群を抜いています。いまや、ほかのアイドルグループとは比較にならないレベルです。

キム・チャンナム　個人的に感じたことを付け加えると、BTSは、ほかのグループよりも、アーティストとしての自我を強く確立することに成功したのだと思います。普通、アイドルは「芸能事務所によってつくられた存在」というイメージが強く、そのせいで芸術的なアイデンティティを認めてもらえない。たいしてBTSは、「みずから考える独立した存在」であり、「自分のことを自分らしく語るミュージシャン」という点をうまく打ちだした気がします。つまり、アイドルに欠けていると思われている「偽りのない音楽」をしめすことに成功したのです。

キム・ヨンデ まさに、だからこそBTSは「アイドルらしくないアイドル」なのだと思います。先ほど先生が「K-POPのトレンドにおいて、もっとも進化したグループ」と話していたのと同じ文脈で、私が彼らを「K-POPのオルタナティヴ」と評価する理由でもあります。

キム・チャンナム 成功の秘訣としてもうひとつ付け加えたいのが、BTSのファンにたいする態度です。BTSは受賞のスピーチや感謝を表す場で、いつも「ARMY」について真っ先に述べます。芸能事務所の社長の名前を最初に挙げるほかのアイドルとは異なる点ですね。ファンは、「ほかの人ではなく、私にお礼をいってくれる」BTSの姿勢に感動するのです。

キム・ヨンデ 実際、世界的なBTS現象は「草の根運動」のようなARMYたちの熱いサポートなしには不可能でした。その意味で、従来の韓流とも違う観点から理解しなければならないと考えています。BTSの成功は、文化史的にどのような意味をもつと思いますか。

キム・チャンナム BTSの文化史的な意義を語るのは、まだ時期尚早な気がします。ただ、「K-POPのグローバルなファンダム」という点で頂点を極めたという事実は、ずっと記憶されるはずです。私がとくに注目しているのは、BTSのファンがとてもバイタリティにあふれていることです。最近BTSメンバーのTシャツ問題の顛末について、ARMYがまとめた「White Paper Project」には、とても驚きました。

キム・ヨンデ 私もその白書を読み、ファンの意識がここまで進化していることに感銘を受けましたし、かつてアイドルファンを冷笑していた人たちにたいしても、素晴らしい事例になるのではないかと思いました。よくまとまったリサーチと鋭い分析は、まるで学術論文のようで、評論家さえもしのぐレベルです。ファンだからこそ、そんなプロジェクトが可能だったのだと思います。

キム・チャンナム　そうですね。これは、単に「ファンダムの進化」というレベルではなく、若い世代が社会問題にたいして発言する、ダイナミックで新しいかたちだと感じました。これが本当に新たな社会参与の方法なのか、既存の秩序にどんな亀裂を生むのか。もちろん、もう少し見守る必要がありますが。

キム・チャンナム

聖公会大学新聞放送学科／文化大学院教授。韓国大衆音楽賞選定委員長、韓国大衆音楽学会会長。著書に『大衆音楽の理解』、『大衆文化と歌運動、そして青年文化』、『金民基（キムミンギ）』などがある。

Column __ 05

BTSはアメリカで本当に人気があるのか?

2018年5月20日、アメリカ・ラスベガスで開催されたBBMAsを訪れた。BTSが「トップ・ソーシャル・アーティスト」[Top Social Artist、以下TSA] 部門の受賞者として選ばれ、ファンの歓声を浴びながらトロフィーを掲げる姿は、まるで夢のようだった。2017年に続いて2年連続の受賞。K-POP史上初の記録をふたたび更新した、驚くべき成果だ。会場は、BTSの名前を連呼するファンと、どうしてファンが声を張り上げ喜んでいるのか理解できない人びととで、真っ二つに分かれた。ファンは、まるでBTSの単独コンサートのようにかけ声を叫びながら応援し、メンバーの顔がスクリーンに映るたびに悲鳴に近い声をあげた。会場係も警備員も、司会のケリー・クラークソンも、大歓声に思わず笑っていた。この熱狂的な雰囲気は、いったい何なのか。会場のいたるところでジャーナリストと観客が、その本質について意見を交わし、韓国人ジャーナリストの私にBTSについていろいろと細かい質問をした。アメリカで長いあいだK-POPを取材してきたが、まさに信じられない光景だった。

韓国ポピュラー音楽における歴史的な瞬間であることは、疑いの余地がない。一方、韓国人ミュージシャンが受賞したという特別な感慨はさておき、「人気賞」にあたるTSA部門の受賞がどの程度重要なのかについては、見方が分かれる。まず、アメリカのポピュラー音楽業界におけるBBMAsの存在について振り返ってみよう。アメリカのポピュラー音楽業界には、長い歴史をもつさまざまな賞が存在し、それぞれのアワードに特有の価値や意味がある。アカデミー賞やエミー賞が映画やドラマ産業を牽引(けんいん)する原動力であるように、ポピュラー音楽の賞も、単にアーティストの業績を称える以上の意義をもつ。その数多くの賞のうち、ソウル・トレイン・アワード（Soul Train Awards）やカントリー・ミュージック・アソシエーション・アワード（Country Music Association Awards）のようにジャンルに特化した賞をのぞけば、「ポップ」という普遍的なカテゴリーで一流と認められている音楽賞は4つだけだ。

その筆頭に挙げられるのが、ザ・レコーディング・アカデミーが主催するグラミー賞である。グラミー賞は、音楽そのものの芸術的な業績をもとに候補と受賞者を決める、事実上唯一のアワードといえる。毎年議論を呼ぶにもかかわらず、権威が認められるのもそのためだ。しかし、グラミー賞以外の3つの主要アワードは、売れ行きや影響力など大衆のあいだでいかにヒットしたかを基準に受賞者が決まる。すなわちAMAs、MTVビデオ・ミュージック・アワード（MTV VMA）、そしてBTSが受賞したBBMAsだ。BBMAsは、ほかのアワードよりも、大衆性をきわめて重視することで有名だ。それもそのはず、賞の選定は、主催するビルボード社が毎週発刊する『ビルボード』のチャートがベースになっている。BBMAsの選定基準は、外部に正確には明かされていない。ビルボードのチャートも、同じように大まかなガイドラインがあるだけで、正確な選定方法については、まるで機密事項のように非公開だ。ただ、ビルボードの順位はニールセン・サウンドスキャンなど信頼できるデータ会社が収集したフィジカルおよびデジタルのセールスとダウンロード、ストリーミング、そして放送回数などから算出するとのみ明かされている。つまり確実にいえるのは、BBMAsは、評論家やジャーナリストによる音楽的な「評価」ではなく、実際に集計し数値化が可能な「データ」がベースとなった音楽賞だということだ。

ここで疑問が生じる。BTSが2年連続で受賞したTSA部門は、添え物のような印象を受けないだろうか。大衆的なヒットを数値化して賞を与えるBBMAsで、なぜ敢えてソーシャルメディアでの人気を算出し、別途に賞を設けるのだろうか。ここで考慮すべきは、賞には「大盤振る舞い」がつきものだということだ。賞は、主催者を問わず、できるだけジャンルと分野を細かく分け、多くの人に花をもたせようとする。たとえばグラミー賞には80以上の受賞部門がある。だが、一般の人は、ほとんど認識すらしておらず、正確な意味もわかっていない。BBMAsも60近い部門があり、それぞれ異なる方式で特定ジャンルの人気ミュージシャン、人気の曲に賞を与えている。

では、多くの賞が存在するなかでTSA部門にはどのような意味と重要性があるのだろうか。TSAは、アワードのなかで唯一ファンが投票できる、ソーシャルメディアでの人気指標を反映する部門だ。つまり、ソーシャルメディアでの反応やハッシュタグ投票で得た数値が高い人が受賞するというわけだ。それなら、なぜビルボードは、ソーシャルメディアでの投票で受賞者を決める部門を敢えて設けているのか。もっとも重要なのは、アワードにたいする関心を高めることだ。ソーシャルメディアを活用するのは10代・20代の音楽ファンだ。年上の世代にくらべ、彼/彼女たちは好きなアーティストの受賞に大きな意義を感じ、熱いリアクションをする。若い世代の情熱と関心を取り込み、賞の成功に結びつけるというのが、TSAの基本的な趣旨といえるだろう。もちろん、それがすべてではない。

2011年にTSA部門が設けられた背景には、米国内のコアな音楽ファンの消費パターンが密接に関係している。これが、BTSが韓国のアーティストであるにもかかわらず、アメリカで肩を並べることができる理由である。

BBMAsによると、すべての部門はファンと音楽の「相互反応(インタラクション)」をベースに候補を決める。これには、フィジカルとデジタルのセールス、ラジオ放送、ツアー、ストリーミング、SNSをはじめとするソーシャルメディアがふくまれる。トレンドにもっとも敏感なBBMAsが、Twitter、Facebook、YouTubeなどソーシャルメディアの役割を強調していることに注目しよう。マス消費のトレンドはフィジカルアルバムの販売やラジオで聴く時代から、ソーシャルメディアで楽曲やイメージをチェックし、そしてYouTubeなどを通じてプロモーションビデオや関連コンテンツを鑑賞する時代へ。音楽を消費するパターンは、かなり前から変化している。ソーシャルメディアは、かつて音楽雑誌が担っていた知識や情報を提供し、YouTubeはMTVをはじめ、伝統的な放送フォーマットの役割を果たす。ソーシャルメディアが音楽を消費する究極のプラットフォームとなったいま、それを活用して人気度を測る方法は直観的であるうえに、伝統的な手法と同じくらい信頼性が高い。BBMAsは、このような消費傾向の変化をいち早くキャッチしたのだ。

こんな疑問もあるだろう。もし、BTSが米国内でTSAに選ばれるほど人気があるなら、なぜほかのメジャーな部門では候補にすら上がらないのか、と。理由を探るには、アメリカにおけるK-POPをはじめとする外国の音楽の状況、人気度を測る方法の特徴と限界を詳しく知る必要がある。広大な国土を有するアメリカは、世界の音楽市場のなかで唯一、地域ごとに分かれた多数の「シーン」が存在する国だ。メインストリームのほかに、音楽産業はローカル、インディーズなどジャンルごとに市場が分かれ、それぞれ人気を博している。もともとポピュラー音楽の普遍的な人気というのは、抽象的で正確に測るのは難しい。ゆえに伝統的に人気の指標としてきたのが、有名レコード店を中心としたレコードやCDの売り上げと、メジャーなラジオ局で曲がオンエアされた回数だった。ところが、この2つは、資本の論理に徹底的に支配されている。大手レコード会社、流通会社（ディストリビューター）、小売業者、プロモーター、マスコミ、広告主などによる全面的な支援がない限り、「全国区」でのヒットは、事実上ありえない。とくにラジオ局は、暗にレコード会社やプロモーターと組んで選んだ「プレイリスト」[ラジオで放送する曲のリスト]をつくり、特定の曲の人気を誘導する。プレイリストは人気の尺度とされるが、実際はほとんどのラジオ局ではリストの曲を一定期間くり返し流している。結局、曲の人気はラジオ局から大衆に、「トップダウン方式」で広まっていく。リスナーがたくさんリクエストした曲が流れるのではなく、ラジオ局が選んで流した曲が注目を浴びて人気を得る仕組みだ。

したがって、巨大な市場に途方もない数の新曲があふれるアメリカで、たまたま人びとの関心を得てヒットするというのは、奇跡に近い。まして、BTSの曲は韓国語だ。伝統的に、アメリカのメジャーなラジオ局は、外国の曲をかけプロモーションするのを頑なに避ける。メインストリームをなすリスナーの反発を買うおそれがあるためだ。PSYの「江南スタイル」が世界的に大ヒットした時も、アメリカの大手ラジオ局は、単に外国の音楽だというだけで選曲を躊躇した。それが不利にはたらき、ビルボードHOT100でトップになれなかった。このように敵対的な産業環境で、ファンのサポートのみを追い風にスターダムにのしあがったBTSが、BBMAsの主要部門でアメリカのポップスターと肩を並べて競い、ノミネートされることは、不可能に近い。しかし、ソーシャルメディアは違う。ファンはなんら制約もなく、好きなアーティストに投票することができ、結果にもダイレクトに反映される。BTSはまだ、米国でもっとも人気がある歌手とはいえない。音楽のトレンドや多様性にあまり敏感ではない一般の人びとにとっては、存在感も薄いグループだ。だが、ポップ音楽のメイン顧客である若者のあいだでは、アメリカのトップスターとBTSの差はぐっと縮まる。それは、コアなリスナーの影響が大きいBBMAsのTSA部門の成果として証明されたというわけだ。BTSは、ポピュラー音楽における「人気」のかたちを新たに定義した。これは、正しいとか間違っているとかの問題ではなく、巨大な流れの転換によるものだ。

BBMAsのTSA部門がどの程度の意義をもつかは、人によっていろいろな見方があるだろう。ただ、賞の性格を知るために、わかりやすい方法がある。もっともかんたんなのは、過去の受賞者を振り返ってみることだ。このTSA部門のこれまでの結果は、とてもシンプルだ。ジャスティン・ビーバーの独壇場。2010年代、もっとも多くの若いファンを集めたアメリカ最高のアイドルの人気は結果にそのまま表れた。2011年に同部門が設けられて以来、2018年までジャスティン・ビーバーは、一度も候補から外れたことはなく、2016年まで続けて受賞していた。ノミネートされたほかのアーティストも、若者の時代のアイコンだ。ケイティ・ペリー、リアーナ、テイラー・スウィフト、マイリー・サイラス、セレーナ・ゴメス、アリアナ・グランデ、ショーン・メンデス。彼の共通点は、単に歌が上手で有名なアーティストであるだけでなく、もっとも情熱的で行動的なファンダムを擁する、時代の「アイドル=偶像」だということ。それには疑いの余地がない。ジャスティン・ビーバーの強力なファンダムをベースにした人気は、最初からほかのスターとは、比較にならないほど大きかった。BTSが登場するまで、最高のボーイズバンドとして君臨していたワン・ダイレクションでさえ、ジャスティン・ビーバーを超えることはできなかった。

ところが2017年、BTSのサプライズ受賞が、ジャスティンの7年連続受賞を阻止した。セレーナ・ゴメス、アリアナ・グランデ、ショーン・メンデスなどの最高のポップスターと競ったすえに手にした、驚くべき成果。主催者はもちろん、米国のポップ産業全体が動揺したのは、いうまでもない。BTSとはどんなグループなのか――。韓国だけではく、海外でも一斉にネットで検索が始まった。これは、オンラインで吹きはじめたブームの風がメジャーな媒体にキャッチされるまで、一定の時間がかかることをしめしている。そして、1年後。2018年のBBMAsで、BTSは圧倒的大差をつけ、ふたたびTSA部門で受賞した。2度目の受賞は音楽界もすぐに納得し、主催者もすでに結果を予測していたようだ。BTSに新曲を世界初披露する機会を与え、パフォーマンスの順番もフィナーレの直前に配置する、最高のオファーで迎えた。わずか数年前まで、無関心あるいは嘲笑の対象だったK-POPグループにたいする待遇としては、異例のことだ。すべてを見守ってきたビルボードだからこそ、大きな地殻変動が起きていると真っ先に気づいたのだ。

TSA部門での受賞は、BBMAsでもっとも名誉ある賞に輝いたわけでも、アメリカのメインストリームを征服したわけでもないのは確かだろう。「征服」を云々するには、まだ道のりは遠い。しかし受賞は、BTSがアメリカで「一番ホット」な歌手であり、もっとも情熱的で忠誠心の高いファンダムをもつポップスターであることを証明している。エルヴィス・プレスリー以降、ブリティッシュ・ポップスの例外をのぞき、一度もトップの座を他国のアーティストに明け渡したことがないアメリカの音楽界が、BTSという韓国のグループに2年連続で賞を与えた。何であれ最高のものは自国の文化に抱き込むアメリカ特有の文化と、資本と能力で動く米国の音楽産業による、特別の「待遇」。その意味は、決して小さくない。

Interview __ 06

彼らはなぜアメリカで成功したのか

『ビルボード』コラムニスト
ジェフ・ベンジャミン

BTSの世界的な成功には、
爆発的な反応をみせたアメリカの音楽市場の動きが大きく作用している。
米国でのBTSにたいする反響を広く知らしめたのは、
『ビルボード』をはじめとする欧米のメディアだった。
BTSがアメリカで成功できた理由とその本質は何か。
『ビルボード』のK-POPコラムニスト、ジェフ・ベンジャミンと語りあった。

キム・ヨンデ　2014年の話から始めましょう。BTSが初めてロサンゼルスでKCONのステージに姿を現した、その瞬間。ジェフさんも私もその場にいて、お互いBTSを見たのは初めてでした。以前にも2人でこの話をしたことが少しありますが、「何かが起きているのを感じた」と言っていましたね。

ジェフ・ベンジャミン　本当にすごい反応でした。当時『ビルボード』に「ルーキー・ボーイズバンドのBTSはデビューしたばかりだが、大観衆のリアクションは、あなたの考えを変えるかもしれない」と書いたことがあります。そして「このグループをしっかり見つめていこう」と、心に決めました。

キム・ヨンデ　ご存じの通り、当時はBIGBANGとEXOの全盛期で、ほかのボーイズグループではBlock Bが先に注目を浴びていました。そんななか、いきなりBTSがアメリカで熱狂的な反応を得はじめました。無名に近いグループだったにもかかわらず、KCONでMEET AND GREET［アーティストがトークや握手会などをおこなう、いわゆるファンミーティング。KCONのプログラムのひとつ］とライブを見るために、長い列をつくっていたファン、黒い帽子とマスクを身に着けたARMYの姿が忘れられません。

ジェフ・ベンジャミン　私が知っていたのは、「BTSは小さな芸能事務所出身のアイドルだ」ということ。だから、考えていたK-POPのイメージを踏まえると、KCONでの熱い反応は想定外でした。当時、私にとってK-POPといえば、「いくつかの大手芸能事務所が市場を統制し、そのなかのわずかなグループだけが目に見える成果を収めている産業」という印象でした。BTSは単に脚光を浴びただけでなく、K-POP産業の新たな動きを知らしめたグループだったのです。

キム・ヨンデ　KCONから帰ったあと、私は「まるで『啓示』を受けたようだ」と書いたのを思いだします。BTSがいまのような世界的スターになるとは正直わかりませんでしたが(笑)、ジェフさんがおっしゃったように、K-POP産業に新たな地殻変動が起きると感じました。でも、その現象がアメリカで始まったのは、びっくりです。ジェフさんは、アメリカのジャーナリストのなかでも、とくにBTSと初期の頃から関わり、アメリカにおけるBTSにたいするリアクションをもっとも近い場所から伝えてきました。

ジェフ・ベンジャミン　2014年当時を振り返って鮮明に覚えているのは、BTSがアメリカのメディアにたいしてオープンだったことです。私からインタビューの依頼をする前に、BTSがKCONのスタッフを通じていつでも取材を受ける意思がある旨を伝えてきたことに心打たれました。K-POP関連メディアで働いていると、米国と韓国の双方が望む内容のバランスを考えなければならないのですが、BTSは最初からとても懐(ふところ)が広く、いろいろな質問に喜んで答えてくれました。私がアメリカのメディアを通じて彼らの活動を伝えることに、とても協力的でした。

キム・ヨンデ　BTSの荒削りでストレートなメッセージ、偽りのない音楽、自発的なプロデュース手法は、K-POPの新しいモデルだとみています。華やかなパフォーマンスだけでなく、そのように真摯な姿勢が、とくにアメリカで大きな反響を呼んだのではないでしょうか。ジェフさんが考える、BTSと彼らの音楽の特徴とは何でしょうか。

ジェフ・ベンジャミン　それぞれの個性をブレンドし、芸術にまで高めている点だと思います。歌詞やコンセプト、あるいは音楽が掲げる大きなテーマなどに、彼らが曲をつくりながら考えたこと、ひとりの人間として表現したいことを盛り込んでいます。BTSがカッコ良くてスタイリッシュなボーイズなのはもちろんですが、それを差し引いても、彼らならではの親しみやすくユニークな方法で、同世代のために発言するところが魅力的です。

キム・ヨンデ　K-POPアイドルのなかで、BTSのように世相を批判したり、同世代の若者にダイレクトに語りかけ、癒しのメッセージを送ったりするグループはまれな存在です。おそらくその点が、K-POPをよく知っている外国のファンに、「BTSの音楽は違う」と思わせたのでしょう。
ジェフ・ベンジャミン　まさにそのようなことを2017年にリリースされた「Go Go」で感じました。『LOVE YOURSELF 承 'Her'』の発売を前に、私はBTSにインタビューする機会を得ました。おそらく、唯一の海外メディアだったと思います。RMが「Go Go」について説明する際に、韓国の若者たちの自分への期待値がいかに低いについて教えてくれました。これは彼が韓国で経験した「YOLO」カルチャーについて歌っているのだ、と。RMが挙げた、クレーンゲームのエピソードが忘れられません。「ゲームセンターでぬいぐるみをとろうとする若者たちは、浪費するために設計されたゲーム機に、お金をたくさん投じている」という話でした。アメリカ人の私は経験したことがなかったのですが、インタビューの翌年、韓国でクレーンゲームを見て、やっと意味がわかりました。ある男性がガールフレンドにぬいぐるみをプレゼントするために、ゲームにお金を使い続けているのを見て、「ああ、これがRMが話していたことだったのか」と。そして、彼が自分の目で見て感じたことを普遍的で魅力的な歌詞に書き上げることにも気づきました。このような曲作りは、たとえばポピュラー音楽産業によってつくられた「ソングライティングキャンプ」システムでは実現できない、とてもユニークな方法です。実際に経験したことを曲にした、楽しくてキャッチーな「Go Go」のようなトラックが、音楽をもっと面白くするのです。
キム・ヨンデ　まさにそのようなメッセージと自発的に音楽を制作する過程が、BTSをほかのグループとは異なる存在にしているのだと思います。おそらく、彼らが「ヒップホップ」というジャンルから音楽を始め、いまもそのカルチャーと姿勢に根ざした創作活動をしているのも重要な理由ではないでしょうか。でも、振り返ってみると、K-POPには以前からヒップホップアイドルがいて、BTSが最初というわけではありません。海外進出についても、ほかの芸能事務所のほうがもっと緻密なノウハウをもっています。それにもかかわらず、アメリカでとくにBTSが注目された背景には、音楽での差別化以外にどのような理由があったのでしょうか。

ジェフ・ベンジャミン　外国メディアを熟知し、密接な関係を築いたことも、BTSが海外市場に「クロスオーバー」できた重要な要因です。もちろん、BTSがアメリカで良い反応を得たのは、単にヒップホップ・ボーイズバンドという実験的な試みや、マスコミとの良好な関係だけが原因ではありません。やはり、「ARMY」というファンダムの役割が大きかったと感じています。ARMYは世界の人びとに、なぜこのグループが重要なのか、なぜ自分たちが情熱的なのかを見せ、BTSの成功に貢献しました。オンライン・オフラインを問わず、ARMY同士が手を取りあって影響力を広め、BTSがより高いレベルに進み、音楽産業を変えられるようにサポートしたのです。

キム・ヨンデ　2018年に『ニューヨーク・マガジン』のカルチャーページ『Vulture』に掲載されたコラムに書いたのですが、ボーイズバンドは、イギリスとアメリカのポピュラー音楽では、半世紀を超える長い歴史があります。ジャクソン5やオズモンズまでさかのぼり、ニュー・キッズ・オン・ザ・ブロックとイン・シンク、そしてワン・ダイレクションまで。K-POPアイドルは、ある意味、米国のボーイズバンドと日本のアイドル文化の伝統を受け継ぐフォーマットです。BTSも、もちろんその伝統から生まれたグループですが、私にはほかのボーイズバンドとは違って見えます。欧米や日本のアイドルとは異なり、プロデューサー中心のバブルガム・ポップ(60年代後半にアメリカで生まれたジャンルで、覚えやすいメロディーとシンプルなコードワーク、ダンスに適したリズム、軽いサウンドが特徴）ではなく、BTSはヒップホップにルーツがあり、彼らのメッセージや姿勢も、ボーイズバンドの音楽のイメージとは異なります。
ジェフ・ベンジャミン　顧みれば、BTSには、ポップよりもヒップホップというルーツが似合っていたのだと思います。ヒップホップは、「逆境」と「闘争」の場から生まれたジャンルで、まさにBTSの音楽はその流れを汲んでいます。BTSは、心やカルチャー、あるいは同世代の闘争を代弁する歌を、敢えてつくる必要はなかった。でもおそらく、これは私の推測ですが、彼らはそうせざるを得なかったのだと思います。もちろん、BTSがBig Hitという芸能事務所によって戦略的につくられたアイドルであることを忘れてはいけませんが、グループが結成されて活動するうちに「ポップ」の要素は消えていったのでしょう。BTSはみずからの逆境から音楽と芸術を創造するグループで、お決まりの歌やコンセプトを強要されるミュージシャンではありません。彼らは自分に内在するもの、そして自分たちに意味があることをやる。これは、BTSのソーシャルメディア戦略からもうかがえます。いつも発信している非常にパーソナルなメッセージは、マネジャーや芸能事務所のチェックを受けていません。
キム・ヨンデ　つきつめると、BTSはアメリカのポピュラー音楽とK-POPのボーイズグループという「公式」そのものを揺るがしているように思えます。
ジェフ・ベンジャミン　ポピュラー音楽の歴史という視点でいうと、BTSは多くの人びとに新しい気づきを与えました。ボーイズバンドは、先に挙げたジャクソン5やオズモンズのように黒人か白人の5人組が一般的で、彼らが楽曲制作に携わることはほとんどありませんでした。たいして、BTSは全員韓国人の7人組で、みずから作詞し、みんなで作曲する。ポップスの前例からしても、BTSのようなグループはうまくいかないだろうと多くの人が考えていました。ところが、

BTSはすでに偉大なボーイズバンドと同じくらい、あるいはそれ以上に成功しています。

キム・ヨンデ　ジャクソン5やニュー・エディションは例外で、大半のボーイズバンドのメンバーはハンサムな白人です。理由を敢えて言う必要がないほど、アメリカのメインストリームには、それほど高い壁がある。でも、BTSはアジア人という限界にもかかわらず、米国のマスコミから「世界最高のボーイズバンド」とまで呼ばれています。

ジェフ・ベンジャミン　その通りです。重要なのは、BTSはボーイズバンドにたいする偏見だけでなく、アジア人、とりわけ韓国人にたいする固定観念を覆（くつがえ）しているという現実です。彼らは、ほかのボーイズバンドよりもはるかに大きなハードルを乗り越え、多くの人が不可能だと思っていたことを成し遂げながら、平等であることの価値をしめしているのです。

キム・ヨンデ　デビュー当初から何度もBTSに会い、話をしたそうですね。彼らのコンサートDVDにも時々映っていますが（笑）、彼らに接して感じたこと、とくに人間的な面がわかるエピソードを教えてください。

ジェフ・ベンジャミン　BTSに会う機会があったのは、本当に幸運だったと思います。2015年だったと思いますが、『ビルボード』でスタジオ取材をした時、BTSが一生懸命に努力する姿を垣間見たことがあります。7月のとても蒸し暑い日でしたが、マイクに雑音が入るのを避けるため、スタジオのエアコンをつけることができませんでした。それでもBTSは長いあいだインタビューに答え、パフォーマンスを1度リハーサルしたあと、本番を2回撮影しました。曲は、「I NEED U」と「DOPE/DOPE －超ヤベー！－」。ARMYなら、この2曲がいかに難しいかわかると思います！　メンバーは汗だくになって、カメラを止めるたびに、クーラーがある部屋に走っていきましたが、文句を言ったり嫌な顔をしたりする人はいなかった。すべてに感謝し、与えられたチャンスに幸せを感じている姿がとても印象に残っています。

キム・ヨンデ　私はこのあいだのBBMAsで、初めてBTSと会いました。韓国のミュージシャンには届かない夢と思われていた栄光のステージに立ったにもかかわらず、実力や地位を謙遜していた彼らに、感動したのを覚えています。周りの人にたいする、親切で細やかな気遣いも感じました。

ジェフ・ベンジャミン　詳しくは話せないのですが、私の個人的な出来事についてBTSのメンバーがSNSのダイレクトメッセージで励ましてくれたことがあります。驚いたのは、芸能人として忙しい生活を送り、たくさんのフォロワーがいるにもかかわらず、時間をつくって私に関心を寄せ、元気づけてくれたこと。きっと私がオンラインで多くのARMYと交流しているのを見ていたのだと思います。本当に特別な思い出です。

キム・ヨンデ　韓国人とBTSのファンは、彼らがグラミー賞にノミネートされる日を心待ちにしています。音楽を愛するひとりとして、いつか韓国のミュージシャンがグラミー賞のステージに立つ姿を夢想しています。歴代の韓国人アーティストのなかで一番近い場所にいるのが、BTSだと思います。第61回グラミー賞では、音楽部門ではありませんが、「最優秀レコーディング・パッケージ」部門でノミネートされました。しかし、現実を直視すると、まだ主要音楽賞のメジャー部門で候補になったことはありません。すでに世界でもっとも人気があるグループのひとつといわれていますが、米国の音楽賞の結果には表れていないのが残念です。

ジェフ・ベンジャミン　個人的には、アメリカはまだBTSの成功について、きちんと評価できずに「単にオンラインで成功したグループ」とみなしているように感じます。音楽賞のみならず、放送局も

BTS関連コンテンツをTwitterなどSNSで紹介するだけで、テレビやラジオなどメインのプラットフォームでは触れません。テレビとラジオは、BTSをアメリカの人気アーティストと同等にカバーしていない。アメリカの大手メディアが、ファンを利用しているような気がして、恥ずかしくなることがあります。「BTSを『SNSのフォロワーを増やすための釣り餌』として利用しているのか、それとも本当にBTSを応援しているのか。メディアをしっかり見極めるように」とファンに伝えることもあります。

キム・ヨンデ　BTSの人気はSNSのおかげだとか、少数の力によるものだと批判する声もあります。しかし、その人たちはアメリカ市場を理解していない。すでにBTSの成功は、ビルボードのチャートやアメリカレコード協会のゴールド認定など、数字で証明されています。メジャーな音楽賞でも、きちんと認めてもらえる日は近いと信じています。

ジェフ・ベンジャミン　もし、AMAやiHeartRadioミュージック・アワードが、「BTSは『ソーシャル』や『デジタル』現象にすぎない」という偏見を排して数値に注目すれば、成果が正当なかたちで認められることでしょう。2018年には大活躍したので、きっと2019年のBBMAsでは、さらに高い評価を受けるはず。名声あるアワードで、BTSがより正当な待遇を受けることができるように願っています。

キム・ヨンデ　オンラインで海外のK-POPファンとARMYのあいだで興味深い論争があったのをご存じですか。BTSの音楽はK-POPなのか、それとも新しい種類のポップスなのか。単に白黒をつける言い争いではなく、K-POPの本質についての議論でした。K-POPをそれぞれが異なる定義でとらえているため、必要以上に論争が広がってしまった気がします。でも、彼/彼女たちがなぜBTSはほかのK-POP、とくにアイドル音楽とは「違う」と考えているのかについては、とてもよく理解できます。

ジェフ・ベンジャミン　その論争がどうなったのか知っているつもりですが、この種の議論に参加するのはいつもどこか後ろめたさを感じます。というのも、「K-POP」という言葉や概念に攻撃しているような気がするからです。とはいっても、議論自体が悪いとは思っていません。プロデューサーのパン・シヒョク氏は、かつて「BTSはK-POPを代表するグループであり、K-POPアーティストとして最善を尽くすグループだ」と言ったことがあります。先ほども述べたように、BTSがK-POPの芸能事務所Big Hitによって戦略的につくられたグループであるのは明らかな事実です。スタイルや楽曲をリリースする方法もすべて、広い意味でK-POPシーンに属しています。しかし、BTSが際立っているのは、彼らが活動する姿勢そのものが秀でているから。米国でBTSと一緒に仕事をした法律家、PR会社、レーベル関係者は、「BTSは新しい仕事のスタイルを見せてくれる」と口をそろえます。BTSはグローバル市場に進出するために、韓国のグループとしてのアイデンティティを変えることはありません。そうではなく、世界市場のほうが彼らの流儀と働き方に合わせれば良いのです。

キム・ヨンデ　最後に、一番好きなBTSのアルバムと曲、そして理由を教えてください。すごく難しい、まるで拷問のような質問ですが(笑)。

ジェフ・ベンジャミン　本当に拷問みたいですね(笑)。曲のなかでは、「Butterfly」が好きです。癒しのトーンとイメージが、ずっと心の片隅から離れません。愛を渇望しながら結局落ち葉になるという、暗喩が込められた「Autumn Leaves」の歌詞もすごく良いですね。また「Whalien 52」の、ほかの人には聞こえない周波数で話す「世界一寂しい動物」という歌詞には、天才的なセンスを感じます。他者には理解してもらえず、自分は世界で一番孤独だと思うことが、誰にでもありますから。「134340」のメタファーも好きで、CNNでこの曲を解説したこともあります。BTSは普遍的なテーマを通じて、韓国語を理解できない人でも共感できる音楽をつくる。それが、私がBTSを気に入っている理由です。

キム・ヨンデ　「Butterfly」は、私も大好きです。では、一番好きなアルバムは？

ジェフ・ベンジャミン　すべてのアルバムのなかからですよね。うーん。『WINGS』はグループとしてはもちろん、ソロの楽曲としても大きな成果を出した作品です。でも『花様年華 pt.1』は、私がBTSにのめり込むきっかけとなったアルバムなので、特別な思い入れがあります。もちろん、その前から彼らを応援していましたが、初期のアルバムには完全にはハマれず、音楽的にもう少し磨きをかけてほしいと感じる部分もありました。それまで欠けていたすべてを補い完成したのが『花様年華 pt.1』で、それを起点にBTSの音楽ははるかに揺るぎないものになったと思います。

キム・ヨンデ　RMの『mono.』、SUGAの『Agust D』、J-HOPEの『HOPE WORLD』などメンバーのソロアルバムも、とても印象的でした。たんなるアイドルグループとしてではなく、ひとりのミュージシャンとして、彼らの潜在力を見せてくれたという点で、意義深い作品です。

ジェフ・ベンジャミン　私もRMの『mono.』を好きなアルバムに挙げたいですね。彼のプレイリストは、ひとつのプロジェクトのなかですごく良いアトモスフィアとヴァイブスをつくりだした、最良の例です。K-POPは、その核に多様なジャンルを盛り込むのが特徴で、それはBTSも同じです。でも、『mono.』は、まるでひとつの物語のような印象を受けました。この世界観からは目が離せません。

ジェフ・ベンジャミン

音楽ジャーナリスト。2013年から『ビルボード』でK-POPのコラムニストとして活動している。『ニューヨーク・タイムズ』『ローリング・ストーン』『NPR』などに寄稿、CNNなどにK-POP関連コメンテーターとして出演。2015年に初めてBTSにインタビューして以来、彼らの歩みをもっとも近くで取材してきた人物でもある。

Review ＿ 12

LOVE YOURSELF 承 'Her'

（2017年、ミニアルバム）

『WINGS』と『YOU NEVER WALK ALONE』で「誘惑」と出会った若者の成長と葛藤を描き、励ましと癒しのメッセージを伝えたBTS。新シリーズ『LOVE YOURSELF』では、より根本的な問いと答えを探求するため、完全に未知なるテーマに挑む。それは、「自分を愛すること」だ。これまでのK-POPとは異なる、深い含蓄を感じさせるテーマだ。彼ら自身の物語は、音楽と密接に結びつき、強い説得力をもっている。

『LOVE YOURSELF』シリーズは、「起承転結」で構成されている。「起」は、「Euphoria」をふくむ映像のみで発表された。「承」に位置づけられるこのミニアルバムは、いろいろな意味で、ひとつの転機と評価される。『Her』が描くのは、愛の歓びやときめきだ。リリースの約4カ月前にBBMAsの「トップ・ソーシャル・アーティスト」部門で受賞し、世界的なグループとして注目されはじめたせいか、前作の重い雰囲気から一転し、明るくエネルギーに満ちている。収録曲には実験的な試みとさまざまな音楽的要素が共存。従来のファンはもちろん、より幅広い層にアピールするアルバムに仕上がっている。BTSのディスコグラフィーでもっとも印象的なソロ曲のひとつ、JIMINの「Intro: Serendipity」。ヒップホップグループとしてのアイデンティティを存分に発揮する「MIC Drop」「Go Go」「Outro: Her」も素晴らしい。しかし、このアルバムのコアなトーンを決定づけるのは、ポップ・グループらしさを強調した「DNA」と「Best Of Me」だ。ミニアルバムであるため、曲の多様性や深みに限界があるのが惜しいが、次にリリースされる『LOVE YOURSELF 轉 'Tear'』は、そんな物足りなさを吹き飛ばす満足度の高い作品となった。

Track review
__ (LOVE YOURSELF 承 'Her')

1 ▸ Intro: Serendipity

Slow Rabbit, Ray Michael, Djan Jr, Ashton Foster, RM, "hitman" bang
Produced by Slow Rabbit

넌 내 푸른곰팡이
날 구원해준

君は俺のアオカビ
俺を救ってくれた

BTSのすべてのイントロのなかで、もっとも繊細でナイーヴな曲。前のアルバムから本領を発揮しはじめたJIMINの華やかなボーカルが、シルクのようにデリケートかつエレガントに歌詞を包み込む。「三毛猫」や「アオカビ」など、斬新な表現は、歌詞に美学的な愉しみを与え、「그냥(クニャン) 그냥(クニャン)」(ただ、ただ)というフレーズに象徴されるJIMINの「かわいらしく愛おしい」一面が光る秀作だ。前作のヘヴィーなトーンとは異なるカラーで、アルバムの新たな方向性をしめしている。

2 ▸ DNA

Pdogg, "hitman" bang, KASS, Supreme Boi, SUGA, RM
Produced by Pdogg

걱정하지 마 love
이 모든 건 우연이 아니니까

心配するな love
すべては偶然じゃないから

日本語歌詞｜KM-MARKIT

信じて My love
全ては偶然じゃないから

「Blood Sweat & Tears/血、汗、涙」で感じたポップ・グループとしてのアイデンティティの変化が、さらにくっきりと表れたトラックだ。音楽的には、感受性豊かで明瞭。新しいサウンドが、たんなる試みに終わるのではなく、多くの人に受け入れられる方向に帰結している。BTSの音楽がいつもそうであるように、聴きなれたポップ・ミュージックの定型を壊そうとするトライが印象的だ。オープニングの口笛とフューチャー・ベースのドロップは、BTSがすでにK-POPのトレンド全体をリードしている証だ。2017年から始まるBTS現象の幕開けとなった。

3 ▶ Best Of Me

Andrew Taggart, Pdogg, Ray Michael, Djan Jr, Ashton Foster, Sam Klempner, RM, "hitman" bang, SUGA, j-hope, ADORA
Produced by Andrew Taggart, Pdogg

우리의 규율은 없다 해도
사랑하는 법은 존재하니까

俺たちにはルールはないけど
愛にはルールが存在するから

日本語歌詞｜KM-MARKIT

ルールなんかないけれど
出来る愛すことならば

『Her』で目指した新たな方向を象徴する、もうひとつの曲だ。メロディーは、これまでのBTSの音楽とまったく異なるとはいいがたい。注目すべきは、アメリカのポップ・ミュージックの最新トレンド、エレクトロポップの影響が濃くなったこと。EDMグループ、ザ・チェインスモーカーズのアンドリュー・タガートのプロデュースによって、BTSの曲のなかで、もっともポップと親和性のあるトラックに仕上がった。ボーカリストに変身したSUGAのパートも、隠れた鑑賞ポイントだ。

4 ▶ Dimple

Matthew Tishler, Allison Kaplan, RM
Produced by Matthew Tishler, Crash Cove

천사가 남긴 실수였나
아니면 진한 키스였나

> **天使のミスだったのか**
> **それともディープキスだったのか**

作曲からプロデュースにいたるまで、Big Hitのミュージシャンが一切関与していない、唯一の曲。迂回せず、シンプルにポイントのみを表現し、サビへと突っ走る構成は、アメリカの最新トレンド、エレクトロポップの特徴だ。ボーカルラインのなかでもとくにJIMINのしなやかなグルーヴが、曲のキュートでさわやかな魅力を見事に描きだす。アルバム全体のロマンチックな雰囲気を盛り上げるトラックでもある。

5 ▸ Pied Piper

Pdogg, JINBO, KASS, RM, SUGA, j-hope, "hitman" bang
Produced by Pdogg

알면서도 이끌리는 선악과처럼
내 피리는 모든 걸 깨워

> **知っていながら惹かれてしまう 禁断の果実のように**
> **俺の笛はすべてを目覚めさせる**

「Pied Piper」、つまり「ハーメルンの笛吹き」というテーマも独特だが、音楽的にもBTSのディスコグラフィーのなかでひときわ目立つトラック。ドラマチックなクライマックスがない、スローなディスコグルーヴ。かなりマイルドな曲だ。ファルセットでテンションをぐっと上げるサビは奥深く、聴きごたえがある。

6 ▸ Skit: Billboard Music Awards Speech

Produced by Pdogg

いわずと知れた、K-POPの歴史的な瞬間。

7 ▶ MIC Drop

Pdogg, Supreme Boi, "hitman" bang, j-hope, RM
Produced by Pdogg

미안해 Billboard
미안해 worldwide
아들이 넘 잘나가서 미안해 엄마

ごめん Billboard
ごめん worldwide
息子が人気者で ごめん 母さん

日本語歌詞｜KM-MARKIT

ごめんね Billboard
ごめんね worldwide
人気あり過ぎてごめんねママ

アルバムの前半がポップ・グループに変化したBTSを表す曲だとすれば、「Skit」に続く後半の曲、とくに「MIC Drop」は、ヒップホップアイドルとしてのルーツをしめす曲だ。曲のどの部分を流してもこの曲だとわかる印象的なビートと、SUGAの自信に満ちた「スワッグ」が巧みに調和する。やや荒々しい感じのオリジナルバージョンも良いが、EDMのスーパースター、スティーヴ・アオキの感覚的なプロデュースが光るリミックス・バージョン［『Her』発表から約3カ月後の2017年12月にリリース］は勢いに満ち、より幅広い層にアピールする。アメリカレコード協会にプラチナ認定（ダウンロード、ストリーミングをふくめ、100万枚相当の売り上げを記録した作品）され、米国市場でこれまでもっとも成功したシングルでもある［2019年6月に「Boy With Luv」が、2020年1月に「IDOL」がプラチナ認定されている］。

8 ▶ Go Go

Pdogg, "hitman" bang, Supreme Boi
Produced by Pdogg

YOLO YOLO YO
탕진잼 탕진잼 탕진잼

YOLO YOLO YO
浪費の楽しみ 浪費の楽しみ 浪費の楽しみ

日本語歌詞｜KM-MARKIT

YOLO YOLO YO
ダンジンジェム ダンジンジェム ダンジンジェム

「MIC Drop」の成功の陰に隠れているが、「Go Go」は2つの点で意義がある曲だ。ひとつはラテンベースのトラップを初めて試みたこと、もうひとつは歌詞に込められた社会にたいするメッセージの重要性だ。アメリカでトラップは「ルーツから離れ享楽主義に傾倒している」と批判されている。だが、このトラックは、「YOLO」[You only live onceの略で「人生は一度きり」という意味のスラング] や「浪費の楽しみ」というリリックが象徴する「一攫千金主義」的な人生観を皮肉りつつ、そう生きざるを得ない社会にも、バランス良く意見している。

9 ▸ Outro: Her

SUGA, Slow Rabbit, RM, j-hope
Produced by SUGA, Slow Rabbit

내 모든 wonder
에 대한 answer
I call you her her
Cuz you're my tear tear

俺のすべてのwonder
にたいするanswer
I call you her her
Cuz you're my tear tear

BTSのディスコグラフィーのなかで、オールドスクール・ヒップホップについての知見がもっとも的確かつ細やかに反映された曲。こなれたジャズ・ハーモニーを奏でる序盤は、90年代のジャズ・ヒップホップの全盛期をほうふつとさせ、冒頭のRMのトラディショナルなラップは、80年代のパブリック・エネミーのチャックDや、90年代のヒップホップスター、2パックを連想させる。速いビートでなくてもラッパーが余裕たっぷりに持ち味を披露する、成熟した曲だ。

10 ▸ Skit: 망설임과 두려움 (Skit: Hesitation and Fear)(Hidden Track)

Produced by "hitman" bang, Pdogg

アイドル。それは魅力を売る産業だ。もちろんBTSも華やかさやサクセスを強調し、自信満々な姿を見せてきたグループだ。だが、BTSは、「ためらいと恐れ」というタイトルで、みずからの成功を「省察」する。これほど率直なK-POPアイドルがかつて存在しただろうか。BTSは、もはや自分たちではコントロール不能なほど大きな成功と向きあい、現在の姿に酔わず、これまでの歩みを振り返ることを忘れない。

11 ▶ 바다 (Sea)(Hidden Track)

RM, Slow Rabbit, SUGA, j-hope
Produced by RM

바다를 갖고 싶어 널 온통 들이켰어
근데 그전보다 더 목이 말라
내가 닿은 이곳이 진정 바다인가
아니면 푸른 사막인가

海を手に入れたくて お前を丸ごと飲みこんだ
でも かえってもっと喉が渇いて
俺がたどり着いた ここが本当に海なのか
または 青い砂漠なのか

BTS、とくにリーダーのRMにとって、海は永遠のテーマだ。このテーマはつねにくり返され、新たなかたちで曲に映しだされる。かつて海だった砂漠。「試練のなかで希望を見いだす」というのは、ありふれたメッセージだ。しかし、BTSは「希望がある場所に絶望がある」と自覚し、「絶望に身を投じて試練をうけるべきだ」という。メジャーなK-POPアイドルの歌詞に深い悟りが存在することに驚く。エレクトロサウンドとヒップホップが融合した大きなフレームのなかで、音楽はメロディーではなく、雰囲気と感情そのものを伝えることに集中する。

Review _ 13

HOPE WORLD

（2018年、J-HOPEによるミックステープ）

BTSのディスコグラフィーのなかで、もっとも驚嘆した作品を選ぶなら、私はためらうことなくJ-HOPEの『HOPE WORLD』を挙げる。理由は、このアルバムの主人公が、これまで音楽的にあまり脚光を浴びることがなかったメンバー、J-HOPEだからだ。J-HOPEはBTSのパフォーマンスの核となる、メインダンサーだ。だが、ラップラインでは、RMとSUGAに続くサブラッパーで、スキルをはっきりとしめす機会がなかった。

世界中を飛び回る多忙なツアーの合間に、J-HOPEはアイディアを磨き、自身初のミックステープを完成させた。普通、ラッパーのミックステープといえば「ラップ」にフォーカスした荒削りなアイディアのコレクションであるのにたいし、『HOPE WORLD』はわずか約20分のなかにフルアルバムに劣らない多彩なアイディアを盛り込み、質の高い作品に仕上がっている。音楽的にはラップの要素を積極的に生かしているが、90年代のハウスから最新のトラップビートまで、さまざまなジャンルを取り入れている。ヒップホップというよりは、バラエティ豊かなポップスのアルバムという印象だ。どの曲をプレイしても、アーティストとして、人間としてのJ-HOPEの個性が生き生きと伝わってくる。Big Hitは、ソロアーティスト・J-HOPEの強みを際立たせるべく、丁寧な曲作りを心がけたのだろう。結果、ストーリーやサウンド面ではBTSの曲との一貫性を保ちつつ、ポジティブで陽気なJ-HOPEのパーソナリティが存分に発揮される音楽が誕生した。

Track review
__ (HOPE WORLD)

1 ▸ Hope World

DOCSKIM, j-hope
Produced by DOCSKIM

水中に潜るようなサウンドエフェクトで始まるイントロ。アルバムのテーマとアーティストとしてのJ-HOPEの「覚悟」を、明るいヴァイブで紹介する曲だ。SFの先駆者、フランスのジュール・ヴェルヌの小説『海底二万里』にインスパイアされた歌詞には、いくつかの意味がふくまれる。表向きには、リスナーを自分の世界へ誘う「招待状」だ。しかし、それは底知れぬ深い穴のように、いまだ知られざる世界だ。グループ活動で大切にしてきた音楽への情熱を、ついに明かす時が来た。彼はみずからの創作熱を「Hope World」、すなわちJ-HOPEの世界であり、楽観的な「希望＝hope」に満ちた世界だと語っている。

2 ▸ P.O.P Piece Of Peace pt.1

j-hope, Pdogg
Produced by j-hope, Pdogg

アルバムのなかで一番洗練され、非の打ちどころがないウェルメイド・トラック。レアなグルーヴにスチール・ドラムを連想するサウンドが加わり、夏にぴったりのクールなラテンヴァイブが生まれた。曲のタイトルにふくまれる「Peace」は、戦争や葛藤の対義語としてよりも、苦しみや挫折のない穏やかな状態を指しているようだ。つまり「Peace」は、彼の名前「HOPE」を表すもうひとつの言葉でもある。「Hope World」がイントロだとすれば、この曲はアルバムの核となるテーマを盛り込んだトラックといえるだろう。コードとリズムの展開は、単に明るいだけでなく、かすかな寂しさをまとう。そこには彼がアーティストとして思索する姿が、ほのかに表れている。

3 ▶ 백일몽 (Daydream)

Pdogg, j-hope
Produced by Pdogg

アレンジが、もっとも異彩を放つ曲。80年代後半から90年代初めに流行った、ハウスとクラブ/ダンスのリズムとその音源など、さまざまな要素が組みあわされ、そこにサビの低音ボーカルとメロディーラインが絶妙に調和する。ポジティブで楽天的な冒頭の2曲から雰囲気を一転させ、「dream」(夢)ではなく「daydream」(白日夢)という言葉で、複雑な問題の数々に妥協できない内心を明かす。しかし、空想や想像では現実を変えられないことは、J-HOPEもよく知っている。つまり、究極的にこの曲は、アイドル、そしてアーティストとして心にたまった思いをすべて吐きだすための、一時的な「休息」として機能している。

4 ▶ Base Line

j-hope, Supreme Boi
Produced by j-hope, Supreme Boi

このトラックが音楽的にユニークな理由は、唐突に始まるサビはもちろん、特別なバリエーションもなくシンプルなフロウをくり返しながらも、ハイなテンションを保っていることだ。「Base Line」というタイトルは、人生のベースラインであると同時に、曲にくり返し登場するベースのメロディーを意味する。スクラッチとベースが生むシンプルで楽しいグルーヴとユーモラスな雰囲気は、J-HOPEの楽観的な性格とアーティストとしての志向を暗示しているようだ。

5 ▶ 항상 (HANGSANG)(Feat. Supreme Boi)

Supreme Boi, j-hope
Produced by Supreme Boi

このアルバムで一番BTSのメンバーらしさが表れる、王道的なヒップホップトラックだ。クールなビートに乗せ、ウィットを効かせた歌詞で成功を誇示する。だが、リリックのなかの「スワッグ」には、未熟さや意地悪さを感じない。なぜなら、「항상 (HANGSANG)」(いつも)というタイトルから推察できるように、「兄弟愛」と「友情」についてのメッセージが盛り込まれているからだ。

6 ▶ Airplane

j-hope, Supreme Boi
Produced by j-hope, Supreme Boi

「항상 (HANGSANG)」の歌詞にも登場する「飛行機」は、BTSの音楽で成功を象徴するキーワードだ。飛行機を成功にたとえるのは、ポピュラー音楽ではめずらしいことではない。しかし、BTSとJ-HOPEの曲ではさらに筋が通っているように感じるのは、彼らの出身とバックグラウンドのためだろう。情熱ひとつでソウルに上京し、歌手になる夢を育み、世界的なスターになった。この信じがたいサクセスストーリーに、飛行機は成功を象徴する要素として欠かせない。彼らにとって飛行機は、いまだ実感がわかない名声にたい

する興奮を感じるとともに、地上のすべての悩みがちっぽけに見える空間なのだ。

7 ▶ Blue side (Outro)

Hiss noise, ADORA, j-hope
Produced by Hiss noise, ADORA

青は、終わりなき時の流れと憂鬱のイメージをもつ。このトラックには、その2つが絶妙にブレンドされている。全体を包む感性はBTSの曲「바다 (Sea)」に重なり、漠然とした記憶、忘れられた悲しみ、孤独、わびしさ、失望などが入り混じった複雑な心情を淡々と描く。

Review ― *14*

LOVE YOURSELF 轉 'Tear'

（2018年、フルアルバム）

前作の『LOVE YOURSELF 承 'Her'』は世界にBTSシンドロームを巻き起こす一方で、彼らにかつてない大きなプレッシャーを与えた。よくあるK-POPアイドルグループとは一線を画す、ミュージシャン、アーティストとして彼らを見つめはじめた国内外の視線。これにたいし、BTSはこれまで以上に真摯で覚悟に満ちた、荘厳な作品で応えた。『Tear』というアルバムタイトルも、言い得て妙だ。このアルバムを定義づけるのは、BBMAsのカムバックステージで

全世界に初公開された「FAKE LOVE」。悲壮美とロマンティシズム、そして文学的な感性を兼ね備えた傑作だ。このアルバムには以前よりさらに完成度の高いトラックが詰まっている。「The Truth Untold」は、BTSのディスコグラフィー史上もっとも純度の高いボーカルトラックのひとつであり、「134340」は実験的な楽曲アレンジと知的な雰囲気が秀逸。なかでも「Magic Shop」はとくに感動的だ。アイドルがファンに贈るセレナーデ、いわゆる「ファンソング」のレベルを一段階引き上げた曲といえる。Big Hitのプロデューサーたちの熟練したノウハウ、トレンドと国際的な感覚を吹き込んだ海外の作曲家たちのサポート、そしてアーティストとして進化を遂げたBTSメンバーのスキルがうまくミックスされ、たぐいまれなアーティスト精神がいたる所で光を放つ。メッセージと音楽、サウンドメイク。あらゆる面で世界と競える韓国製ポップ・ミュージックだ。

Track review
— (LOVE YOURSELF 轉 'Tear')

1 ▸ Intro: Singularity

Charlie J. Perry, RM
Produced by Charlie

Tell me 이 고통조차 가짜라면
그때 내가 무얼 해야 했는지

Tell me この痛みさえフェイクだとすれば
俺はどうするべきだったのか

BTSの音楽のなかで、もっとも美しく陶酔を誘う魅惑的なR&Bバラード。アイドルではきわめてめずらしいVのバリトンのボーカルが、ネオソウル特有のダークでジャジーなムードを見事に歌いこなす。アルバム『Tear』を全体を包む、トレンディでありながら濃密かつ複雑な雰囲気をつくりだしている。この曲のドラマチックな魅力を存分に堪能できるライブパフォーマンスは必見だ。

2 ▸ FAKE LOVE

Pdogg, “hitman” bang, RM
Produced by Pdogg

Love you so bad Love you so bad
널 위해 예쁜 거짓을 빚어내
Love it's so mad
Love it's so mad
날 지워 너의 인형이 되려 해

Love you so bad Love you so bad

君のために美しい嘘をつく
Love it's so mad
Love it's so mad
自分を消して 君の人形になる

日本語歌詞｜KM-MARKIT

Love you so bad Love you so bad
君の為 偽る嘘で
Love it's so mad
Love it's so mad
自分を君の色に染める

『LOVE YOURSELF』シリーズの非凡なるストーリー性は、「FAKE LOVE」で真骨頂を見せる。「偽りの愛」という叫びで表現される「愛されることのない愛」という矛盾に気づいた主人公がたどりついた境地。これが「愛が愛らしく完璧であるように」と望むミュージシャンとしての葛藤と結びつき、音楽的なカタルシスがさらに強くなる。BTSのほかの曲と同じように、ジャンルをうまく選び、編曲のディテールを整えることで、物語性をきめ細かく曲の世界に描きだした。愛にたいする痛切なメッセージが、エモ・ヒップホップ特有のメランコリーと音楽的にマッチし、近年のK-POPではめずらしいダークな悲壮美をまとう曲が誕生した。アルバムに収録されたオリジナルバージョンでは、エレキギターとヒップホップビートの対比が生みだす緊張感が、ステージでのダイナミックなパフォーマンスを可能にした。一方、シングルとしてリリースされた「FAKE LOVE（Rocking Vibe Mix）」は、エモ・ロック独特の抑えたトーンで切なさを前面に出し、曲の情感をよりはっきりと表現している。「FAKE LOVE」は、ビルボードHOT100で10位にランクインし、K-POPの歴史の1ページを飾った曲だ。商業的な成功はいうまでもなく、音楽のレベルでのみ評価しても、2018年にK-POPが遂げたもっとも輝かしい成果である。

3 ▸ The Truth Untold (Feat. Steve Aoki)

Steve Aoki, Roland Spreckley, Jake Torrey, Noah Conrad, Annika Wells, RM, Slow Rabbit
Produced by Steve Aoki

어쩌면 그때
조금만
이만큼만
용길 내서 너의 앞에 섰더라면
지금 모든 건 달라졌을까

もし あの時
少しだけ
ほんの少しだけ
勇気を出して 君の前に立ったなら
いま すべて違っていただろうか

『Tear』が過去のいかなるアルバムよりも洗練され、「ポップ」な感性を秘めているとすれば、その重要な根拠となる曲が「The Truth Untold」だ。美しいメロディーには一切の無駄がなく、感情の流れを爆発させずに自然に高めていく展開は、「プロの技」と呼ぶに値する。とくに、プロデュースを担当したスティーヴ・アオキの感性が素晴らしい。主にEDMを手がけるミュージシャンだが、バラードでも遜色ない力量を発揮した。彼の幅広い音楽的スペクトラムを感じるトラックだ。また、曲作りのクオリティはもちろん、メンバーたちの心地良いボーカルも必聴。BTSによる純度の高いボーカルポップを堪能できる。

4 ▶ 134340

Pdogg, ADORA, 정바비, RM, Martin Luke Brown, Orla Gartland, SUGA, j-hope
Produced by Pdogg

넌 날 지웠어 넌 날 잊었어
한때는 태양의 세계에 속했던

> **君は俺を消した 君は俺を忘れた**
> **かつて 太陽の世界に属していた**

K-POPのアイドル音楽シーンで、プロデューサーのPdoggのように、過去の音楽と現代のサウンドを自在に行き来しつつ、アイドル音楽というフォーマットにミックスさせる実力者は稀有(けう)な存在だ。「134340」は、スタイリッシュな編曲と雰囲気で、Pdoggの秀でたプロデュース能力をあらためて気づかせてくれる。太陽系の惑星としての地位を失った準惑星の冥王星（小惑星番号134340）の境遇を自分にたとえ、かつて惑星の候補だったもうひとつの準惑星エリスについても触れるなど、モチーフが興味深い。RMのトレードマークである知的なラップと、SUGAのシニカルで自嘲的なラップのコントラストも曲にマッチしている。K-POPではめずらしいアシッドジャズ（パンクファンク、ジャズ、ソウルなどを組みあわせたクラブミュージック。軽快なグルーヴが特徴）とジャズヒップホップが試みられている。

5 ▸ Paradise

Tyler Acord, Uzoechi Emenike, RM, 송재경, SUGA, j-hope
Produced by Lophiile

꿈이 없어도 괜찮아
네가 내뱉는 모든 호흡은
이미 낙원에

夢がなくても大丈夫
君がはきだす すべての呼吸は
すでにパラダイスに

音楽的には前作『Her』の「Dimple」に続くフューチャーR&Bだが、成熟したテーマ意識と曲の練り上げ方はさらに卓越したものとなっている。ミュージシャンが投げかけるメッセージは、他者ではなく自身の内面に向けられていることが多い。彼らはひたすら走り続けてきた。どこがゴールなのか、そしてなぜ走り続けるのかもわからないままに。これはBTSが自分たちに贈る癒しのメッセージだ。「止めても良い」という歌詞は、同じような状況にあるすべての人びとに伝える、励ましのメッセージでもある。7人のメンバーが、途切れることなく細やかにパートをつないでいく一体感が、聴く人の心を惹きつける。

6 ▸ Love Maze

Pdogg, Jordan “DJ Swivel” Young, Candace Nicole Sosa, RM, SUGA, j-hope, 정바비, ADORA
Produced by Pdogg

덧없는 거짓 속에서
우리가 함께면 끝이 없는
미로조차 낙원

はかない嘘のなかで
俺たちが一緒なら 終わりのない
迷路さえパラダイス

タイトルにある「Maze」(迷路)という単語のように、複雑で微妙な恋の感情が絡みあう曲。重厚なバスドラムと軽快なリズムが強調されたアーバンポップだが、サビのメロディーは、どの曲よりも穏やかで繊細だ。ボーカルも、この曲の切ないイメージを細やかに歌い上げている。

7 ▸ Magic Shop

Jung Kook, Hiss noise, RM, Jordan "DJ Swivel" Young, Candace Nicole Sosa, ADORA, j-hope, SUGA
Produced by Jung Kook, Hiss noise, ADORA

따뜻한 차 한잔을 마시며
저 은하수를 올려다보며
넌 괜찮을 거야 oh
여긴 Magic Shop

温かいお茶を一杯 飲みながら
天の川を見上げる
君は大丈夫さ oh
ここはMagic Shop

アイドルにとって、ファンとの関係は大切なものだ。ひたすらファンの熱烈なサポートだけを信じて走り世界的なスターになったBTSが、ファンにたいして特別な気持ちを抱くのは当然だろう。「Magic Shop」は、BTSとファンの固い絆を新たな次元へ導いた曲だ。それは、単に良い音楽をつくり、それをサポートする普通の関係ではない。人生がつらく耐えがたい時に、互いに癒しを与える存在としてのアーティストとファンという特別なものだ。「Magic Shop」という新鮮でクリエイティブなテーマのみならず、温かい雰囲気とすべての面において申し分のない曲作り。この曲はアルバムのベストトラックにふさわしい。SUGAの希望に満ちたラップが胸を打つ。サウンド面で「Love Maze」と連続性があり、感情の流れが自然に結びつく。

8 ▶ Airplane pt.2

Pdogg, RM, Ali Tamposi, Lisa Owens, Roman Campolo, "hitman" bang, SUGA, j-hope
Produced by Pdogg

We goin' from NY to Cali
London to Paris
우리가 가는
그곳이 어디든 party

We goin' from NY to Cali
London to Paris
俺たちが行く
そこは どこでもparty

日本語歌詞｜KM-MARKIT

飛んでNYやCali
LondonにParis
俺らが行けばどこだってparty

成功、スターを象徴する言葉、「Airplane」。しかし、J-HOPEのミックステープに収録された「Airplane」と同様、この曲は虚勢に満ちた「スワッグ・ソング」ではない。歌詞で自分たちを指す単語として使った「マリアッチ」は、メキシコの伝統的な楽団で、華やかさとはほど遠い、素朴な伝統音楽を奏でる。つまり、BTSは、世界を飛行機で飛び回るスーパースターになったにもかかわらず、みずからを「マリアッチ」というストリート楽団にたとえ、ピュアな情熱にあふれていた過去を忘れない覚悟をしめす。カミラ・カベロの「ハバナ」やルイス・フォンシの「デスパシート」など、世界的なラテンポップブームに乗ったトラックでもある。

9 ▶ Anpanman

Pdogg, Supreme Boi, "hitman" bang, RM, SUGA, Jinbo
Produced by Pdogg

다시 넘어지겠지만
또다시 실수하겠지만
또 진흙투성이겠지만
나를 믿어 나는 hero 니까

また転んでも
また失敗しても
また泥まみれになっても
俺を信じて 俺はheroだから

ポジティブなエネルギーがもっともピュアなかたちで表れている曲。世界でもっとも弱いヒーロー、「アンパンマン」。みずからをアンパンマンのような「平凡なヒーロー」にたとえる歌詞は、音楽への情熱ひとつでスタートしたBTSが、いまや世界中の人びとをインスパイアしている姿を思うと説得力がある。オールドスクール・ヒップホップのビートに長けたPdoggとSupreme Boiのセンスを再確認するトラック。

10 ▸ So What

Pdogg, “hitman” bang, ADORA, RM, SUGA, j-hope
Produced by Pdogg

때론 바보같이 멍청히 달리기
실수와 눈물 속에 we just go

> **時にはバカみたいに走る**
> **失敗と涙のなかに we just go**

「Go Go」が逆説的な意味をもつのにたいし、「So What」はタイトルが示唆する通り、時には考えすぎるよりも、まっすぐ前へ進んだほうが良いと語る。音楽もこのメッセージと呼応するように、クールななかに燃えるような情熱を秘めている。

11 ▸ Outro: Tear

신명수, DOCSKIM, SUGA, RM, j-hope
Produced by DOCSKIM

같은 꿈을 꿨다 생각했는데
그 꿈은 비로소 꿈이 되었네

> **同じ夢を見ていると思ったけど**
> **その夢がついに夢になってしまった**

BTSのヒップホップトラックのひとつの頂点であり、アルバム『Tear』のテーマを凝縮したフィナーレ曲。映画音楽をほうふつとさせる荘重なイントロ、次々とはじけるラッパーたちのゴージャスなライムとフロウの祝宴は、印象に残る一節を絞るのが難しい。RM、SUGA、J-HOPEのラップラインは、自分たちの「安全地帯」から飛びだし、幅広いラップとボーカルを表現する。別れの最後の瞬間に感じた絶望を切々と描く歌詞は、アイドル音楽とは思えないほどシリアスだ。過小評価された傑作である。

Review _ 15

LOVE YOURSELF 結 'Answer'

（2018年、リパッケージアルバム）

『LOVE YOURSELF 結 'Answer'』は、BTSが『花様年華』シリーズから描き続けてきた青春と成長の物語の大団円だ。また、アイドル音楽のみならず、韓国のいまのポピュラー音楽シーンのなかでもまれな、純度の高いコンセプトアルバムでもある。『LOVE YOURSELF 結 'Answer'』は、すでにリリースされた曲を再活用したり、新曲をいくつか追加したりするだけの普通のリパッケージアルバムとは違う。『Answer』で新たに発表されたすべての曲は「起

承転結」という文脈のなかで新たに意味を与えられ、音楽的には『Her』と『Tear』で発表した曲とは明らかに異なる役割を担う。

愛の歓び、別れの痛み、自尊感情への目覚めを通じて、悲しみのなかに希望を見いだす。この叙事詩のような物語は、論理的な構成をもっているだけでなく、その語り口が楽理に適(かな)った楽曲アレンジによって明確に表現されている。とくに最初のパートのラストを飾る「Epiphany」「I'm Fine」「Answer: Love Myself」の連続したストーリーは強い余韻を残す。イージーでシンプルなメッセージが主流の現在のK-POPのトレンドから見れば、冒険ともいえる試みだ。K-POPのスタンダードを新たにしめすとともに、ワンランクアップさせた金字塔であり、BTSのディスコグラフィーの第一章を華やかに締めくくるアルバムだ。

Track review
__(LOVE YOURSELF 結 'Answer')

1 ▸ Euphoria

Jordan "DJ Swivel" Young, Candace Nicole Sosa, Melanie Joy Fontana,
"hitman" bang, Supreme Boi, ADORA, RM
Produced by Jordan "DJ Swivel" Young

너도 나처럼
지워진 꿈을 찾아 헤맸을까

> **君も俺のように**
> **失った夢を探し さまよっていたのか**

「Euphoria」は、『LOVE YOURSELF』シリーズのなかで、ショートフィルム『起 'Wonder'』のテーマ曲としてリリースされたものだ。タイトルからもわかるように、愛によって気づいた「Wonder」[不思議で驚くべきこと]についての歌だ。リリシズムと美しさがあふれる曲は「Spring Day」を、サウンドとアレンジは「Magic Shop」を連想させる。とくに歌詞とサウンドが生む一体感は胸に響く。序盤のエレキギターはときめく感情の鼓動を音で描写し、楽器が次々と重なってつくりだすテンションは、恋人に出会い高揚した気持ちを映しだす。ついに「You are the cause of my euphoria」(君は私の至福の源)という告白とともにはじけるシンセサイザーの旋律は、清々しく美しい。リリックスと作曲も素晴らしいが、この曲のストーリーを完成させるもっとも重要な要素は、なんといってもボーカルだ。テクニックはもちろん、平凡な音に豊かな物語性を与えるJUNG KOOKの細やかな表現力が際立っている。

2 ▶ Trivia 起：Just Dance

Hiss noise, j-hope
Produced by Hiss noise

함께하는 느낌이 좋아, 너와
함께하는 춤들이 좋아, 너와

> **一緒にいる感じが好きだ、君と**
> **一緒に踊るダンスが好きだ、君と**

J-HOPEは、いくつかの音符と数行の歌詞だけでは説明できない、ポジティブで無邪気なエネルギーに満ちている。「Trivia 起：Just Dance」は、そんなJ-HOPEならではの明るい個性を盛り込んだアップビートのダンス曲だ。サウンドの方向性やトーンは、彼のミックステープ『HOPE WORLD』と重なっている。

3 ▶ Trivia 承：Love

Slow Rabbit, RM, Hiss noise
Produced by Slow Rabbit

너 땜에 알았어
왜 사람과 사랑이 비슷한 소리가 나는지

> **君のおかげでわかった**
> **なぜサラム(人)とサラン(愛)は音が似てるのか**

アルバム『Her』のもつ感性に、「人生、人間、愛」という普遍的なテーマを盛り込んだ曲。RM特有の知的でストレートな歌詞が輝く、ロマンチックなヒップホップトラックだ。曲を埋め尽くすのはすべてRMの声で、ボーカルの実力も発揮している。アレンジでは、ヴィンテージ・ソウルを強く思わせるブラスサウンドが印象的だ。

4 ▸ Trivia 轉 : Seesaw

Slow Rabbit, SUGA
Produced by Slow Rabbit, SUGA

누가 내릴지 말진 서로 눈치 말고
그저 맘 가는 대로 질질 끌지 말고

> **誰が先に降りるか 気にするな**
> **心のままに 先延ばしするな**

いつも卓越した作品を生みだすSlow RabbitとSUGAのシナジー効果がみてとれる、アルバム『Answer』の隠れた名曲だ。ディスコ・ファンクのグルーヴを軸にしながらも、全体的には愛をシーソーの上下運動にたとえた、高揚感と苦悩の両方をふくむ、ほろ苦いサウンドに仕上がっている。温かくもシニカルなトーンをもつSUGAのテクニックが、絶妙なコントラストを生みだしている。

5 ▸ Epiphany

Slow Rabbit, "hitman" bang, ADORA
Produced by Slow Rabbit

이제야 깨달아 So I love me
좀 부족해도 너무 아름다운걸

> **ついに気づいた So I love me**
> **完璧じゃないけど すごく美しいと**

BTSの名には似合わないロックバラードだと思うかもしれないが、アルバム全体の構成や感情の流れを考えると、アルバムでもっとも重要な曲のひとつといえる。JINはまるで運命の曲に出会ったかのように思いを爆発させる。「絶望の果てにたどり着いた境地」を切なく表現するうえで、いい意味で「歌謡曲」のようにセンチメンタルなメロディーが思いがけずマッチしている。

6 ▶ I'm Fine

Pdogg, Ray Michael Djan, Ashton Foster, Lauren Dyson, RM, 정바비, 윤기타,
Jordan "DJ Swivel" Young, Candace Nicole Sosa, SUGA, j-hope, Samantha Harper
Produced by Pdogg

차가운 내 심장은
널 부르는 법을 잊었지만
외롭지 않은걸 괜찮아

冷たい俺のハートは
君を呼ぶ術を忘れたけれど
寂しくない 大丈夫 大丈夫

BTSファンが特別な思いを抱く「Save ME」のリバースメロディー［「I'm Fine」を逆回転させると「Save ME」のメロディーになるとARMYのあいだで話題になった］をベースに、『LOVE YOURSELF』の物語の核心へと突き進む曲。アルバムのクライマックスともいえるトラックだ。ダイナミックなリズムは、90年代後半に流行ったエレクトロニック・ダンス・ミュージック（EDM）の一種、ドラムンベースを想起させる。ブレイクビーツとシンコペーションが強調されているが、メロディーには感傷と悲しみがあふれている。その哀愁を帯びたメロディーは、疾走するリズムのなかで、「I'm Fine」と歌いながら自分を鼓舞する切なさと絶妙な調和をなす。

7 ▶ IDOL

Pdogg, Supreme Boi, "hitman" bang, Ali Tamposi, Roman Campolo, RM
Produced by Pdogg

내 속 안엔 몇십 몇백 명의 내가 있어
오늘 또 다른 날 맞이해
어차피 전부 다 나이기에

俺のなかに数十 数百人の俺がいる
今日も新しい自分を迎えるけど
どうせ すべて俺だから

「IDOL」のティーザー映像が公開された瞬間をいまも忘れられない。鉦(かね)（クェンガリ）と韓国式家屋特有の八作屋根、そしてパンソリなどの「オルス」というかけ声。この曲の「韓国らしさ」は、それだけでトレンドとはいえないが、少なくともBTSのルーツとアイデンティティを象徴するものだ。韓国が生んだアイドル歌手として、BTSがみずからの出自と真剣に向きあっていると、私はティーザー映像を見て確信した。ディーヴァとして名を馳せるニッキー・ミナージュをフィーチャーしたスペシャル・バージョンは、単に有名人が参加したこと以上の意味をもつ。米国を代表するトップスターが、ついに世界最高のボーイズバンドとなったBTSの音楽を認め、壮観なステージを披露しているのだ。ビルボードHOT100で11位という記録を打ち立てたこの曲は、K-POPの新たな時代を示唆している。

8 ▸ Answer: Love Myself

Pdogg, 정바비, Jordan "DJ Swivel" Young, Candace Nicole Sosa, RM, SUGA, j-hope, Ray Michael Djan, Ashton Foster, Conor Maynard
Produced by Pdogg

내 숨 내 걸어온 길 전부로 답해
어제의 나 오늘의 나 내일의 나

> **俺の息 俺の歩み すべてで答える**
> **昨日の俺 今日の俺 明日の俺**

BTSのディスコグラフィーでもっとも重要なチャプター、『LOVE YOURSELF』の時代は、この曲で幕を閉じる。「Answer」は、たんなる「答え」ではなく、新時代のための啓蒙(けいもう)が生んだ究極の成果だ。欧米のポピュラー音楽のスピリットからは消えた、ポジティブで普遍的なメッセージ。それを韓国のアイドルグループが伝える不思議に驚き、意義をかみしめる。感動的なフィナーレだ。

Review _ 16

mono.

（2018年、RMによるミックステープ）

RMの2ndミックステープは、普通のタイトルを拒み、「プレイリスト」とネーミングされた。曲のひとつひとつを聴いてみれば、彼の意図が見えてくる。『mono.』を貫く2つのテーマは、「異邦人」あるいは「他者」の心情、そして「孤独」だ。この「異邦人」とは、単に「外国人」を意味するのではなく、どこにでも居場所があるようで、実は完全なる居場所はどこにもない、永遠によそ者である自分を認めることを指す。この感情は、冒頭の2曲、「tokyo」と

「seoul」の対比でさりげなく表現される。東京は、RMが外国人として「他者」であることを感じるエキゾチックな空間。一方、彼にとってパーソナルでプライベートな街ソウルは、属すべき場所であるにもかかわらず、やはり孤独を感じる空間だ。

これは、しばしば「二重性」の探求を通じて描写される。太陽と月、愛と憎しみ、永遠と虚無。2つの情緒をたえず行き来し、矛盾を重ねながら、RMの寂しさを表現している。「雨が降ると俺に友人がいる気がする」と語り、永遠に雨が続くように願う「forever rain」は、そういう意味で、アルバムのすべてのストーリーを内包するトラックといえる。だが、「雨」は媒介にすぎない。彼が本当に探しているのは自分自身だ。「俺」は孤独の究極の原因であり、解決する主体でもある。

タイトルの「mono.」(モノローグの略語)からもわかるように、このアルバムは非常にパーソナルな独白だ。メッセージは総じて心の内側に向かい、すべての曲は「俺」の二重性と矛盾、それらの根源である寂しさの探求をテーマにしている。アルバムの主題から離れ、『mono.』はRMがみずから作曲した、自分のためのプレイリストという形式をとっている。『mono.』は、トラディショナルな意味でのヒップホップやラップアルバムではない。RMはさまざまなジャンルを模索し、ジャンル自体よりも情緒を掘り下げようとする。自分を証明するための荒々しい言葉で満たされた彼の最初のミックステープを思えば、かなり大きな変化だ。脆さ、リリシズム、そしてRMらしい知性がバランス良くミックスされたこのアルバムは、ラッパーではなくミュージシャンRMの新たな出発点ともいえる。いつも他者にたいして放たれていた彼の音楽が、自分の内面に向かいはじめた。

Track review
__ (mono. by RM)

1 ▸ tokyo

Produced by Supreme Boi, RM

アルバムは外国の都市、近くて遠い国、日本の東京から始まる。東京はとてもモダンでエキゾチックな街だ。ピアノで演奏されるペンタトニックスケールの響きが、さまざまなものが混在し多様性に富んだ雰囲気をうまく描写している。空虚なサウンドは、異郷で感じるよそよそしさや寂寞（せきばく）を表現し、アラームのような効果音は、未知のプレッシャーをしめしているようだ。「モノローグ」というアルバムのテーマにふさわしいオープニング。

2 ▸ seoul (prod. Honne)

Produced by Honne, RM

韓国人にとって、ソウルはただの街ではなく、心のふるさとだ。ソウルはまた、多くの人びとが互いに関わることもないまま生きる大都市でもある。この街は居場所を与えるが、時に喪失感も抱かせる。寂しさや悩みを感じさせる場所だが、だからといって憎んだり、離れたりすることもできない。情を寄せたこともないのに、いつのまにか「家」になってしまった街、ソウル。シンプルで完成度の高い「seoul」は、アルバムで最高のトラックのひとつといえる。華やかさを抑えたオープニング、淡々と吟ずるようなラップ、テクニックに頼ったり誇張したりせず、日常を綴る思いの数々。「愛と憎しみが同じ言葉なら I love you Seoul 愛と憎しみが同じ言葉なら I hate you Seoul」という歌詞がほのめかすように、この曲はアルバムの大きなテーマである「二重性」と、2つの面を行き来する複雑で矛盾した感情をはらむ。空虚な雰囲気を強調した、ドライであたたかいシンセポップのサウンドが、RMのエッセイのようなラップと溶けあう。ちなみに、「tokyo」は韓国のプロデューサーが、「seoul」は外国のプロデューサーが手がけているのが、面白い。

3 ▸ moonchild

Produced by RM, Hiss Noise

明るい陽光ではなく、暗くほのかな月光の下で生まれた子どもたち。タイトルの「moonchild」は、哀しみと憂鬱を抱きしめて生きる人びとという意味だ。「月」が「太陽」の対義語であるとすれば、この曲もまた、「二重性」の探求をテーマにしていると解釈できる。月はみずから輝くことはなく、太陽の光を反射するだけ。ゆえに、ムーンチャイルドも独立した存在ではない。夜のとばりが降りると新たに姿を現すもうひとつの自我、あるいは内面を表しているといえるだろう。アルバムのなかで一番魅惑的でムードのあるヒップホップ曲で、荒涼とした都市の風景に似合うトラックだが、メロディーはエモーショナルで温かい。メロディーメーカーとしてのRMの力量が明かされた曲。

4 ▸ badbye (with eAeon)

Produced by RM, El Capitan

悲壮感あふれるメランコリーなトーンは、まるで映画のサウンドトラックのようだ。この曲はまた、底知れぬ深い穴にはまり、悪夢のなかを泳ぐなど、さまざまなイメージを連想させる。「badbye」というタイトルや、「俺を粉々にしてくれ」という歌詞のように、とても厭世的な雰囲気の曲だ。

5 ▶ 어긋 (uhgood)

Produced by Sam Klempner, RM

「어긋나다」（ずれる）と「uhgood」を掛けあわせた言葉遊びが面白い。理想と現実という「二重性」のテーマがここでも登場する。変わろうとしても、いつも理想の自分とはズレてしまう「俺」は、現実と向きあいながら本当の自分を見つける。やや憂鬱な旅路を歌うリリックとは異なり、音楽のトーンには希望が込められている。アルバムのなかでもっともBTSらしい感性の曲だ。

6 ▶ 지나가 (everythingoes)(with Nell)

Produced by RM, JW of Neil

『mono.』のなかで、一番モダンロック色が強い曲。ジャンルにこだわらない自由な作風と、メロディー感覚が印象的だ。苦悩と煩悩に打ち勝つためにはさまざまな方法があるが、欲望から解放されるのは、いつも最後の瞬間だ。アルバムでくり返される孤独と矛盾、懊悩（おうのう）は、「everythingoes」（すべて通りすぎる）というシンプルな境地に帰結するが、これは悲観的ではなく楽観的な感覚に近い。

7 ▶ forever rain

Produced by RM, Hiss Noise, ADORA

アルバムを貫く「孤独」というテーマを、心の奥底を刺激することで見事に表現した曲だ。けだるいムードとRMのゆるやかなラップがヴァースの虚脱感を演出する。それに続くエレキギターで雰囲気が一転し、アップビートになる。彼は雨だけが友人だというが、本当の友人は自分自身だ。人間、とくに芸術家にとって孤独は決して悲哀ではなく、パートナーであると気づいたRMは、雨がやまないように願う。そして、ギターとともに霞(かす)んだサウンドが包む後半には、聴く人も曲が終わってほしくないと望むようになる。BTSのディスコグラフィーすべてのなかで、RMがプロデュースした傑作のひとつだ。

BTS: THE REVIEW

Column _ 06

「オルス」(얼쑤)
:K-POPにおける「韓国らしさ」

この20年でK-POPは、世界的な現象としての地位を築いた。しかし、K-POPという単語の定義については、いまだに議論が続いている。そもそもK-POPをはっきり説明する根拠がないためだ。韓国のレーベルが制作すれば、K-POPなのか。韓国の「国籍」をもつ人が手がければ、K-POPになるのだろうか。K-POPはアイドル音楽を意味するのか。質問のポイントもまちまちで、いずれにたいしても完璧な答えはなかった。しかし、究極の質問がある。果たして、K-POPは、本当に「韓国らしい」音楽なのか。アメリカのポピュラー音楽を「ポップ」と呼ぶのにたいし、「K-POP」という単語は矛盾しているように思える。韓国の(あるいは韓国らしい)西洋ポピュラー音楽とは、何を意味するのだろうか。そもそも、そんなものが存在しうるのだろうか。BTSの音楽、とくに2018年にリリースした「IDOL」は、この問いにたいして、興味深い答えをしめしている。

「IDOL」は国楽[韓国の伝統音楽]ではない。国楽をベースにしたクロスオーバーと見るのも難しい。だが、音楽的な意図とディテールから察すると、少なくとも韓国らしさを意図した歌といえる。ソウル大学が開発したバーチャル国楽器で鉦(クェンガリ)の音を入れ、国楽のリズムを取り入れたこの曲のティーザーは、公開と同時に大きな話題を呼んだ。アルバムバージョンの「IDOL」は韓国の伝統楽

器の代わりに、曲がもともと意図しているアフロハウスを強調している。アフロビート特有のポリリズム（複数の異なるリズムが同時に演奏されること）が国楽と似ていることを考えると、理にかなったアプローチといえるだろう。「IDOL」は「韓国らしさ」をはっきり打ちだしてはいないが、一風変わった手法で表現している。「オルス（얼쑤）」「チファジャ（지화자）」「トンギドククンドロロ（덩기덕 쿵더러러）」は、パンソリ［唱い手と鼓手の2人でおこなわれる伝統芸能］で使われる合いの手だ［興に乗った時の合いの手で、日本語の「ソイヤ」「ヨッシャ」のようなニュアンス］。これらを歌詞に盛り込むだけでは、ポピュラー音楽と国楽のフュージョンとはいえないが、狙いはよくわかる。いまのK-POPでは、曲の意図を表現する手段は、サウンドだけではない。これまでアジアらしさや韓国らしさは「エキゾチックな味付け」程度に使われてきた。だが、「IDOL」のミュージックビデオを見ると、この曲が韓国の伝統をメインテーマとして、ビジュアルで表現しているのがわかる。韓国式家屋特有の八作屋根、虎、水墨画、そして韓服（ハンボク）にインスパイアされたような衣装。これらはすべて、「IDOL」に宿る韓国の伝統を示唆するものだ。

グローバルスターになったBTSが音楽とビジュアルに韓国的な要素を生かしたのは、とても価値ある試みだ。2000年代以降、世界市場を狙いはじめたK-POPにとって、「韓国らしさ」は戦略的に避けるべきものだったからだ。K-POPは「無国籍」の美学に基づき、国家を超えた「プロダクション方式」という戦略をとってきた。たとえば、韓国らしさを消したビジュアル、地域性を感じさせないミュージックビデオ、欧米のサウンドを完璧に追求しつつ、スカンジナビア、アメリカ、イギリス、日本など音楽先進国のサウンドを模倣したコスモポリタンなハイブリッドを目指していた。もちろんほかの音楽ジャンルには、韓国らしさを追求した例もある。一番代表的なのが、アンダーグラウンドのラッパーたちが結成した不汗黨による「不汗黨歌」だ。パンソリ「赤壁歌」の一節「上一層 用四人各人」をサンプリングし、国楽のリズムをヒップホップとブレンドした曲で、韓国のヒップホップにおけるエポックメイキングな試みだった。こうした事例はアイドル音楽ではきわめてまれだが、VIXX（ヴィックス）が2017年にリリースした「桃源境（Shangri-La）」は、伝統楽器の伽耶琴と韓服を音楽とビジュアルに登場させ、「エキゾチックな東洋のファンタジー」というコンセプトを前面に出した、興味深い作品だった。

21世紀のK-POPに限らず、韓国ポピュラー音楽の歴史全体においても、韓国らしさの本質に迫る歌はめずらしい。なかでも「韓国ロックのゴッドファザー」と称されるシン・ジュンヒョンは先駆者だ。日本による統治から解放後、文化的な植民地状態だった韓国人ミュージシャンたちが、いかにアイデンティティを見いだしたのかをしめす曲をリリースしている。彼はジミ・ヘンドリックス風のサイケデリック・ロック★と、ペンタトニックスケール★★を組みあわせ、ブルースや国楽に似た「美人」を作曲した［シン・ジュンヒョン＆ヨプチョンドゥルというバンドが1974年にリリース］。「コーヒー一杯」や「美しい河山」なども、韓国的な情緒と欧米のロック音楽の文法をもちあわせた、韓国スタイル・ポップスの原型となった作品だ。シン・ジュンヒョンの折衷スタイルの音楽にたいして、「小さな巨人」と呼ばれたキム・スチョルは、はるかに大胆かつ実験的に韓国の美しさをロックに取り入れた。彼は、シン・ジュンヒョンのあとを追うように、70年代から80年代にかけて、韓国的なヘヴィメタルとハードロッ

★ 60年代にサンフランシスコを中心に流行ったジャンル。ドラッグによる幻覚を再現したような、幻想的なオルガンとファズ・ギターのサウンドなどが特徴。
★★ 1オクターブを5つの音で構成する音階。アジア圏の民俗音楽によく使われている。

クで名を馳せた、トップクラスのミュージシャンだ。シンセサイザーなど電子楽器を活用したアメリカンポップスの全盛期だった80年代半ば以降、キム・スチョルは韓国人ミュージシャンとしてのアイデンティティに悩み、変身を試みた。国楽をゼロから学び、ロックと融合させる方法を編みだしたのだ。結果、『黄泉路』(1989)、映画『風の丘を越えて/西便制』のサウンドトラック(1993)、『ギター散調』(2002)などのアルバムが生まれた。キム・スチョルが試みた国楽とポピュラー音楽の本格的なクロスオーバーは、その後シン・ヘチョル[ミュージシャン、音楽プロデューサー。1992年にロックグループN.EX.Tを結成]の「Komerican Blues」(1995)や「MONOCROM」(1999)に部分的に受け継がれ、2000年代に入ってからは、フュージョン・バンドのSecond Moon[2006年にデビューした男女混合6人組バンド]、ポストロックグループのJambinai[2009年に結成。伝統楽器でロックを演奏]など、さまざまなスタイルに発展した。

もうひとつ忘れられない曲がある。90年代のアイコンだったソテジワアイドゥルの「何如歌(ハヨガ)」だ。ソテジワアイドゥルは、音楽のジャンルや業界の面で、現在のK-POPの始祖といえるグループだ。当時の韓国社会における彼らの存在感、ティーンエイジャーのアイドルとして与えた影響力は韓国の音楽史においても、ほかに類を見ないレベルだ。「何如歌」は、ラップダンス音楽の「I Know」で一躍スターになったグループの後続曲で、つかみどころのないハイブリッドな編曲が衝撃を呼んだが、この曲は国楽との完全なるクロスオーバーとはいいがたい。ロックをベースに音楽性を磨き、ヒップホップやテクノなど幅広く吸収していた若いソ・テジにとって、国楽はサウンドの独創性を生みだす要素として、興味深く感じたのだろう。「何如歌」は、そんなソ・テジの自由な想像力と国楽のサウンドがブレンドされた秀作だ。とくに中間に挿入された国楽家のキム・ドクスによる太平簫(テピョンソ)［ラッパ型の木管楽器］の独奏は、去ってしまった恋人への切なさを韓国的な「恨(ハン)」で表現する。これはおそらく韓国ポピュラー音楽史上もっとも印象的な8小節だ。それはステージでのパフォーマンスにも反映された。ソテジワアイドゥルのメンバー、イ・ジュノとヤン・ヒョンソクがヒップホップをベースにした振付に、伝統的な踊りの動きを加え、韓国らしさを表現したのだ。「何如歌」の国楽と韓国らしさは、音楽的な純度はともかく、国楽のメロディーとリズムをさりげなく、もっとも印象的なかたちで盛り込んだ。そして、それを成し遂げたのが10代のアイドルだったラップグループ、ソテジワアイドゥルだったことが、さらに大きなセンセーションを巻き起こした。

「IDOL」は、いろいろな面で「何如歌」に似ている。「何如歌」がスラッシュメタル★とレゲエスタイルのラップとファッション、そして風物(プンムル)［韓国の民族楽器による伝統芸能］のリズムと情緒との究極のクロスオーバーであるのにたいし、「IDOL」は南アフリカ生まれのアフロハウス「ゴム」(Gqom)にヒップホップとアイドルグループ特有の群舞、そして国楽にインスパイアされたリズムを加えた曲だ。共通しているのは、ヒップホップ、そしてハイブリッドなジャンルを豊かに組みあわせている点だ。パフォーマンスは、さらによく似ている。「何如歌」は、ミュージックビデオよりもステージで、はっきりと韓国的な美学を表現した。93年におこなわれた「'93 Last Festival」で、ソテジワアイドゥルは、国楽の歌い手チャン・サイクの太平簫と、風物楽団の演奏に合わせ、壮観なショーを演出した。「IDOL」をもっとも韓国的に演出したのは、2018年12月に開催された「2018 メロン・ミュージック・アワード」のステージだ。アル

★ 70年代半ば、イギリスやアメリカを中心に流行した、ヘヴィメタルのサブジャンル。スピード感のあるベースとドラムビートが特徴。

バムで韓国らしさを完全に発揮できなかった名残惜しさを吹き飛ばすかのように、「IDOL」のサビに国楽のリズムと踊りをブレンドし、素晴らしいライブを披露した。BTSのステージがスタートすると韓国の芸能音楽のパフォーマンスのなかで最高に美しいといわれる「三鼓舞」(3つの太鼓を叩きながら舞うダンス)とともに、J-HOPEの激しいモダンダンスが始まった。そして繊細で感性豊かなJIMINの扇の舞につながり、JUNG KOOKのダイナミックなタルチュム(仮面の舞)で大団円を迎える。しかし、これで終わりではなかった。JUNG KOOKが投げたマスクが、ステージいっぱいに広がる大きな仮面に変わり、そのなかから登場した北青獅子舞が場を盛り上げたあと、ふたたびBTSのステージが始まったのだ。これは、BTSがソテジワアイドゥルの流れを継ぐことをしめした、もうひとつの例といえる。

では、「何如歌」と「IDOL」の一番大きな違いは何か。それは、パフォーマンスを見守る聴衆だ。「何如歌」の風物と太平簫による演奏が想定しているのは、明らかに韓国のファンだ。K-POPが世界へ進出する前の時代であることを考えれば、当然だろう。もちろん、「IDOL」をはじめ、メロン・ミュージック・アワードでBTSが披露したパフォーマンスも、基本的な対象は韓国人だ。世界の頂点に立った韓国のボーイズグループが、故郷に錦(にしき)を飾りながら、母国のファンに捧げるファンサービスのようにも見える。しかし、YouTubeのようなソーシャルメディアが流行り、さまざまなコンテンツがリアルタイムでシェアされているいま、グローバルに活動するBTSのすべての音楽とパフォーマンスは、世界中の人たちの注目の的となる。彼らもそれをよく知っていたはずだ。国楽とのコラボレーション、韓国的な美学が盛り込まれたパフォーマンスと衣装は、韓国人の文化的なプライドをインスパイアし、世界のファンにBTSの韓国のグループとしてのアイデンティティを誇示するための試みだったとみるべきだろう。

「IDOL」が巧みなのは、音楽とパフォーマンスだけにとどまらない。歌詞も多くのことを考えさせる。「アイドル」としての自分たちのアイデンティティについて歌っているのが興味深い。アイドルがアイドルを語ること自体が型破りだが、さらに驚くのは、斬新な内容だ。「You can call me artist, you can call me idol」（俺をアーティストと呼んでも良いし、アイドルと呼んでも良い）と切りだし、誰が何と言おうと「俺は俺であるのみ」と宣言する。そして、このような自己肯定感は、悩みのかけらを「オルス」「チファジャ」という合いの手とともに吹き飛ばし、みんなが一緒に呼応しあう祭りの空間へ曲を発展させていく。風物の楽団に観客が飛び入りで参加する伝統に似た、フラッシュモブ形式のダンスは、彼らが叫ぶ自己愛と自己肯定のメッセージと重なり、アップビートな曲に深みを与える。「IDOL」のリリックはBTSの一貫したメッセージ、「love yourself」とも呼応する。つまり、これは自己のアイデンティティの話にとどまらず、現代を生きるすべての若者への癒しと和解のメッセージを込めたトラックだ。韓国民族の伝統を保つだけでなく、社会や大衆といかに親しい関係を結び、ポジティブな影響を与えられるか。それが、韓国ポピュラー音楽のアイデンティティだ。まさにこの意味で「IDOL」とアルバム『LOVE YOURSELF 結 'Answer'』は、韓国ポピュラー音楽のアイデンティティと時代精神を宿す。だからこそ、K-POPシーンがつくった「欧米風」で「無国籍」な音楽のなかで、異なる光を放つのだ。

BTSの「IDOL」にふくまれる「韓国らしさ」は、突然ベールを脱いだ。BBMAsの「トップ・ソーシャル・アーティスト」部門を2017年から2年連続で受賞したのを機に、世界でもっとも注目されるミュージシャンに仲間入りした★。それだけではない。『LOVE YOURSELF 轉 'Tear'』は、アジアのポップアーティストとして初めて、「ビルボード200」で1位になった。アメリカのメジャーなメディアが立て続けにレビューやインタビューを紹介し、BTSのワールドツアーはわずか数分で売り切れた。「IDOL」は、そんな人気と話題が頂点を極めるなかでリリースされた曲だ。「IDOL」が帯(お)びる「韓国らしさ」は、欧米の音楽を韓国でローカライズする過程で見いだされたアイデンティティであるのみならず、世界の人びとを意識した「挑発」ともいえる。美学的な理由、さらに重要なポイントとしては戦略的な理由から、K-POP産業は「韓国らしさ」を意図的に避けてきた。BTSが「韓国らしさ」が際立つ曲をリリースしたのは、K-POPのトップを走るグループとしての自信と責任感の証だろう。

「IDOL」は、ポップスと国楽のクロスオーバーでも、それを意図したものでもない。BTSは「韓国らしさ」が目立つ要素を、曲の内と外に配置しただけだ。先駆者であるキム・スチョルは、「国楽をブレンドしても、敢えてそれを前面に出す必要はない」とインタビューで語っている。つまり世界的な影響力をもつBTSの「IDOL」がもつ「韓国らしさ」を、国楽が占める割合だけで判断することはできない。アフリカのリズムと欧米のポップス風の曲にふくまれる、「オルス」という一言がもつ「韓国らしさの美学」を、決して軽くとらえてはいけない。なぜなら、世界市場を狙うポップアイドルグループ、BTSの音楽だからだ。

★トップ・ソーシャル・アーティスト部門を2019年にも受賞し、3年連続の受賞となった。

Column _ 07

ニューヨークの夜空に響いた 韓国語の大合唱

2018年10月、4万人近くが集まったニューヨーク・メッツの本拠地、シティ・フィールド。北米ツアー「LOVE YOURSELF」は、「Answer: Love Myself」の大合唱でグランドフィナーレを迎えた。声を合わせて歌うさまざまな人種の観客を眺めながら、私はふと、幼い頃に韓国で観た2つのコンサートを思いだしていた。1992年、まさに「狂風」という言葉が似合う、ニュー・キッズ・オン・ザ・ブロック初の来韓公演。そして1996年、ついに韓国の地を踏んだ、「キング・オブ・ポップ」ことマイケル・ジャクソンの、オリンピック主競技場［蚕室(チャムシル)総合運動場］でのコンサート。あの時代、韓国人にとってアイドルといえば、アメリカのアイドルだった。それがいま、韓国のアイドルがアメリカ人のアイドルになった現場を目の当たりにしている。幼い頃からずっと米国のポピュラー音楽に憧れ、少しでも近くで彼らの音楽とカルチャーを学ぼうと渡米した私には、BTSのために集まった4万人のアメリカ人の歓声が、単にひとつのグループの人気だけでなく、パラダイムシフトの前触れのように感じられた。鳥肌が立った。

「LOVE YOURSELF」ツアーは、普通のK-POPアイドルの北米公演とは性格が異なる。これまでのK-POPコンサートは、限られた観客を対象としたステージや、K-POPになじみのないアメリカの人びとにプロモーションを仕掛けるための、いわば「ショーケース」だった。BTSの初めてのツアー「WINGS」も同じだ。だが、「LOVE YOURSELF」は、まったく違う文脈といえる。このツアーは、すでにスーパースターとなったBTSの人気と地位をアメリカの音楽シーン全体に誇示する、祝祭のステージだった。それは、ツアーの規模だけでも一目瞭然だ。2018年8月にソウルのオリンピック主競技場で幕を開けた「LOVE YOURSELF」ツアーは、12か国42回公演すべてソールドアウト。アメリカとカナダで、計15回コンサートが開催された。ロサンゼルスのシンボル、ステイプルズ・センターでの4回公演が完売した事実は、このツアーの桁外れなステータスを物語っている。K-POPのなかでも頭ひとつ抜けた、アリーナツアーのグランドフィナーレは、アメリカのトップスターだけが立てる大型スタジアムで華やかに幕を閉じた。K-POPグループは、プロモーション期間にインタビューやイベントに参加するのが一般的だが、BTSはそれらをまったくおこなわず、ツアーにのみ専念した。これは、アメリカに進出したK-POPスターというよりも、米国のスーパースターの行動パターンに似ている。ロサンゼルスやニューヨークなど、とくに大都市での公演には現地メディアが多数取材に訪れ、レビューを書いた。しかも、K-POP専門の媒体や音楽ブログではなく、『ニューヨーク・タイムズ』『ローリング・ストーン』『ニューヨーク・マガジン』のようなメジャーなメディアだ。一部で疑問視されていたのとは違い、アメリカにおけるBTSにたいする関心は、かなり高かった。

シティ・フィールド公演の4日前、私はNBAのシカゴ・ブルズとNHLのシカゴ・ブラックホークスの本拠地であるユナイテッド・センターに向かった。BTSツアーの基本的なサイズであるアリーナで、大きなスタジアム公演とは異なる集中力と観客との一体感をより感じることができるからだ。すでに現地のニュースやTwitterなどである程度は予想していたが、現地で見た光景は想像を超えていた。コンサート当日、シカゴ・オヘア国際空港とダウンタウンでは、BTSの名前がプリントされた黒い服を着たARMYの姿をあちこちで目にした。会場周辺には、朝早くから交通規制のために警察が配置されていた。多くのファンが同じ方向に歩いていたので、アリーナの場所は聞かずともわかる。ユナイテッド・センターは、コンサートの3日前からファンが泊まっていたテントで囲まれ、まるでキャンプ場のようだった。シカゴ・ブルズのレジェンド、マイケル・ジョーダンの銅像の後ろにBTSのバナーがなびく。多くのファンがこれを背景に記念写真を撮る姿を見るのは、とても不思議な気分だった。そしてコンサートがスタート。2万人以上が埋め尽くしたアリーナは、予想通りものすごい熱気に満ちあふれていた。

10月6日、ついにニューヨーク公演の日がやってきた。ある日刊紙にシカゴ公演のレビューを急いで送り、すぐにシティ・フィールドを目指し、ニューヨーク行きの夜の飛行機に乗った。朝到着したニューヨークは、シカゴとはまた違う雰囲気だった。ダウンタウンでは、早い時間からコンサート会場に向かうBTSファンの姿をキャッチした。とくにニューヨークでもっとも乗降客が多いペンシルバニア・ステーションの周りでは、シティ・フィールドに行く電車を待つファンの集団を見かけた。多くの人出を予想していたニューヨーク市は、ダウンタウンとシティ・フィールド間の電車を増便。韓国語と英語の交通案内もあちこちに貼られていた。すべてが信じられない光景だった。シティ・フィールドの周りは、シカゴと同じように3日前からファンが泊まっているテントや、BTSグッズを買うために並ぶ人でごった返していた。ロサンゼルスとシカゴでのライブに参加したファンにも数人出会った。自宅近くのシカゴ公演はスケジュールが合わず、はるばるニューヨークまで来た人。これがラストチャンスかもしれないと、仕事を辞めて参加した人。そんな熱心なファンの姿に、コンサートがもつ意味の重さを感じた。スーパースターの特権といえるスタジアム公演を、ついにBTSが実現する。その歴史的な快挙に、誰もが心を震わせていた。

シティ・フィールド公演は、K-POP初のアメリカにおけるスタジアムコンサートだ。「BBMAs」を取材した時も似たような気持ちだったが、韓国のポピュラー音楽がこのようなステージに立てる日が来るとは想像すらしなかった。20年近く韓国のポピュラー音楽を評論し、文章を書いてきた立場から見ると、感激的であり、夢のような出来事だ。BTSが米国に進出した最初の年に彼らを目撃した私にとっては、さらに意義深いステージだった。わずか4年前、K-POPボーイズグループの末っ子だった、荒削りだが情熱に満ちていたBTS。彼らはいま、アメリカのメジャーなメディアの記者と評論家が熱い視線を注ぐなか、4万人の観客で埋めつくされたスタジアムで、北米ツアーのフィナーレを飾ろうとしているのだ。

印象的だったのは、ファンの多様性だ。会場には、さまざまな年齢や人種のファンがいた。アメリカのポップスの公演は、一般的にジャンルごとに観客層が異なる。とくにポップスやロックのコンサートに来る、アフリカ系アメリカ人といわれる黒人の観客は、ヒップホップやR&Bにくらべてかなり少ない。しかしBTSはポップス、そしてK-POPグループとしては、めずらしく黒人やヒスパニック系など有色人種のファンが多いことがみてとれた。その理由はいくつか考えられるだろう。ひとつは、音楽ジャンルだ。BTSのヒップホップとアーバンミュージックを自在に駆使し、やさしさと荒々しさをもちあわせたスタイルが、黒人やヒスパニック系の人たちになじむのかもしれない。もうひとつはパフォーマンスだ。BTSのパフォーマンスは、ほかのK-POPアイドルとくらべても、圧倒的にカリスマ性があり、ステージからほとばしる情熱も突出している。そこが強烈なダンスを好む黒人やヒスパニックに合っていたのだろう。2010年代以降K-POPでは、このようなファン層が急激に増え、ブームは北米はもちろん、南米にまで広がった。BTSがそのトレンドをリードしている。ニューヨークの公演で、そう確信した。

アメリカのポップスターのコンサートと同じように、BTSの公演にも家族連れの姿が目立った。ほとんどは、子どもがファンで親も一緒に来たケースだ。それにしてもファンの年齢層は、アイドルのライブとは思えないほど幅広かった。BTSのコンサートは中年の女性ファンが多いのが特徴だ。普通、中年のポピュラー音楽ファンを見かける場所といえば、往年の人気グループの再結成公演やカジノで開かれるコンサート。デビューからまだ4年目の流行りのアイドルグループが、こんなにもさまざまな年齢のファンを集めているのは、BTSの音楽が世代を超え、中年層にもアピールする何かがあることを意味する。公演会場で会った中年の女性ファンは、「BTSには、単に音楽が好きだとか、パフォーマンスがカッコ良いとかでは説明できない、特別な魅力がある」と口をそろえた。彼女たちはそれを「ノスタルジア」と表現した。トレンドに乗ったK-POPグループに抱く感情としては、とても奇妙だ。私は、その理由は『花様年華』に代表されるBTS特有のリリシズムとストレートな歌詞にあると考えている。それが、中年のファンのなかに存在する生き生きした感性を引きだしたのではないだろうか。これは、彼女たちがBTSの音楽で「癒される」と語ることにも通じる。究極的には、『LOVE YOURSELF』シリーズが説き続けた、自尊感情を育(はぐく)もうというメッセージとリンクする。青春時代を懐かしく思う人や若者の心をもつ人、親として子どもを見つめながら自身の若き日々を思いだす人。BTSの音楽は、人びとに共通した感動を与える。BTSの普遍的なメッセージと音楽の力が、年齢、性別、人種の異なるファンをひとつにしているのだ。K-POPアイドルの音楽に、このような共感を広げるパワーがあると、誰が想像しただろうか。

BTSの米国ツアーを2都市にわたって取材したあと、韓国のマスコミの記事を読み、がっかりした。BTSの音楽や芸術にたいする理解はいまだ浅く、愛国心やプライドを強調するものだった。アメリカの観客がBTSに寄せる興味や歓声は表面的な現象にすぎない。重要なのはその熱狂の本質を見抜くことだ。私には、「シティ・フィールドに集まった4万人」という数字よりも、韓国が生んだボーイズグループが、アメリカのいかなる若いポップスターよりも幅広いファン層を獲得しているという事実が大事に思えた。アジア系とヒスパニック系がともに熱く盛り上がり、黒人と白人が共感する普遍的なポップミュージックの誕生。ニューヨークの夜空に響いたアメリカのARMYによる韓国語での合唱は、そんな時代の到来を物語っていた。

Column _ 08

グラミー賞ノミネートの本当の意味

BTSの第61回グラミー賞ノミネートが発表された2018年12月、私は韓国ポピュラー音楽として初めてのジャンル、または主要部門でのノミネートを期待した。しかし、残念ながら実現しなかった。韓国メディアはこれを「失敗」と評した。BTSの「快挙」と強調したアメリカのメディアとは真逆だ。韓国での低評価は、主要部門の候補にならなかったためだが、グラミー賞に詳しい人であれば、そしてK-POPの過去と現在を熟知している人であれば、これはとても短絡的な見方だと気づくだろう。ポイントを再度まとめてみよう。

90年代以前、韓国のポピュラー音楽産業は、世界地図に存在しない無人島のような存在だった。「歌謡」と呼ばれた国産の曲は韓国人が好んで聴く「流行歌」のレベルを超えることができず、外国から輸入された音楽にくらべ、地位は高くなかった。韓国語で「ポップ」といえばアメリカンポップスを意味し、音楽ファンなら歌謡ではなく米国やイギリスのポップスやロックを聞くのが当たり前とされていた。流行に敏感な若者たちは、いち早く洋楽のトレンドを取り入れていた日本のポピュラー音楽を海賊版のカセットテープで聴いていた。私もそのような少年時代を送り、音楽ファンになった。90年代に入り、ソテジワアイドゥル、015B［90年にデビューしたバンド］、シン・ヘチョル、ユンサン［1987年デビューの歌手・作曲家。現在は音楽プロデューサーとしても活動]など、当時の若手ミュージシャンが現在のK-POPの基礎を築いた。2000年代以降、K-POPはグローバル市場の扉をたたきはじめる。だが、韓国の歌手がポピュラー音楽の本場であるアメリカに進出して互角に競い、成功できると思っていた人はいなかった。

2018年に起きたことを振り返ってみよう。BTSはビルボード・ミュージック・アワードで、世界でもっとも人気があるグループとして認められた。リリースした2枚のアルバムは、いずれもビルボードのチャートで1位を獲得。「FAKE LOVE」と「IDOL」もシングルチャートでそれぞれ10位と11位にランクインし、人気が本物で持続的であることを証明している。そしてついにグラミー賞から声がかかるほど出世した。さらに驚くべきことは、これらはすべて母国のサポートや影響力とは関係なく達成されたという点だ。ポップスの本場、米国の人たちがBTSというグループを発見し、潜在力を認めてスターにし、アメリカのポップスターと堂々と競争できる環境を与えた。では、異例の成果を挙げたにもかかわらず、韓国でいまも多くの人がBTSを正当に評価できず、さらには歴史的なグラミー賞ノミネートを「失敗」と呼ぶ理由は何だろうか。もしかすると、BTS現象のスケールがあまりにも圧倒的で、すべてを把握するのはもはや不可能だからかもしれない。それでもなお、不満が残る。

どんな部門であれ、グラミー賞にノミネートされることは、それだけで「成功」を意味する。その意味は、多くの人が考えるよりも、はるかに重要かもしれない。詳しい話をする前に、まずファクトを検証したい。BTSのアルバム『LOVE YOURSELF 轉 'Tear'』がノミネートされたグラミー賞の部門は、「最優秀レコーディング・パッケージ」[Best Recording Package]だ。「パッケージ」とは、アルバムのカバーイメージなどCD・LPのディスクジャケットを構成するものすべてを指す。よく知られているように、この部門は音楽にたいするアワードではない。1959年に「最優秀アルバムカバー」という名で設けられ、アルバム（当時はLPと呼ばれていたレコード盤）カバーの芸術性を審査する部門だった。一時期「グラフィック・アート」と「写真」という2つに分けられていたが、現在は「最優秀レコーディング・パッケージ」部門と名称をあらため、アルバム全体のデザインを評価する賞となっている。アルバムとアーティストの名前が表記されるが、実質的な候補はアルバムで、受賞するのはアーティストではなく、カバーとパッケージをデザインしたデザイナーだ。

BTSのアルバムがグラミー賞候補になったのは、たしかに大きな進展だ。だが、音楽部門ではなくアルバムのデザインでのノミネートだったのは、残念だ。BTSの音楽は、グラミーにまだ認められず、「失敗」したのだろうか。この疑問に正確に答えるために、まずグラミーがどのような賞なのか、そして候補になる（あるいはならない）ことは何を意味するのか、ていねいに考えてみたい。1959年に始まったグラミー賞は、アメリカの音楽産業を代表するもっとも長い歴史をもつ音楽賞だ。1年間のアメリカの音楽シーンの総まとめの場というだけでなく、音楽産業そのものを牽引する役割を担う。米国でグラミー賞は、アマチュアスポーツ選手にとってのオリンピックメダルのように、ミュージシャンのキャリアでもっとも栄誉とされる。なぜなら、ほかのアワードとは異なり、人気に関する数値や指標を参考にしないからだ。グラミー賞のすべての部門は、主催者のレコーディング・アカデミーの会員によって審査され、選ばれる。アカデミー会員のなかでも投票権を有するメンバーに選ばれた一部の人だけが、この過程に関わることができる。レコーディング・アカデミーの会員は、3つのタイプに分かれ、グラミーに携わるのは、

「投票メンバー」と呼ばれる一番高いランクの人たちだ。「投票メンバー」は、レコード制作の経験を積んだ現役の音楽関係者で、厳格な認定プロセスを経て、グラミー賞の審査に参加する資格を得る。審査員を選ぶ段階から存在する厳しい「関門」。それが、グラミー賞の伝統と信頼が認められるゆえんだ。それだけではない。アルバムも、複雑で厳しい過程を経てノミネートされる。エントリーを希望する作品が提出されると、各分野の専門家が一次審査（スクリーニング）をおこない、ジャンル別、項目別に分類する。そして二次審査（投票）を経てようやくグラミー賞にノミネートされるのだ。

グラミー賞は、きわめて保守的なミュージックアワードとして知られている。これは、過去の受賞結果をみればよくわかる。代表的な例が、ポピュラー音楽で一番「若い」ジャンルのひとつ、ヒップホップにたいするグラミー賞のスタンスだ。グラミー賞に「最優秀ラップ・パフォーマンス」部門が新設されたのは、ヒップホップ初のレコードがリリースされてから10年も経ったあとのこと。主要部門で受賞者が生まれるまでは、さらに10年かかった。1999年の第41回グラミー賞でローリン・ヒルの『ミスエデュケーション』に贈られた「最優秀アルバム賞」だ。もちろん、数多くの会員で構成されるグラミー賞の審査員がヒップホップを無視したり、このジャンルの音楽性を認めなかったわけではない。ただ、審査員の音楽的な趣向が優先される特性上、大衆のトレンドが反映されるには時間がかかる。結果、受賞するのも、進歩的というよりは保守的、または中庸路線のアーティストや作品にならざるを得ない。また、レコーディング・アカデミーの会員の多くを占めるのは、アメリカのメインストリーム、つまり年齢が高い白人の中産階級の人びとだ。これも、ブラックミュージックよりポップやロックが、実験的でトレンディな音楽より安定して成熟した音楽が優先される理由といえる。

新たなトレンドの音楽でグラミーメンバーを刺激したのは、商業的な成功で社会現象を巻き起こした数曲のみだ。とくに、ボーイズバンドやポップアイドルの音楽がノミネートされたのは、ほんの一握りにすぎなかった。

BTSのノミネートについての疑問に戻ろう。BTSが「最優秀レコーディング・パッケージ」部門の候補になった意味とは何か。結論からいうと、パッケージのデザインを認めただけでなく、グラミーの会員たちがBTSの音楽を意識し、ある程度認めたシグナルだと受け止めている。ここでも表面的な現象ではなく、「行間」を読む必要がある。グラミー賞のすべての部門は結局、アメリカの音楽産業に携わる人びとの努力を称えるのが目的だ。普通の人にとっては、ほぼ無名のエンジニア、フォトグラファー、さらにはデザイナーにまで賞を与える理由は、彼らが音楽業界で果たす役割の大きさをグラミーがよく理解しているからだ。しかし、BTSはK-POPアーティストだ。米国内でアルバムがリリースされ、ビルボードのチャートでトップになったとはいえ、結局のところ、韓国の音楽産業に属するアーティストであることに変わりない。しかし、アメリカの音楽産業関係者を祝する場であるグラミー賞で、自国のアーティストによる数多くのアルバムを差しおき、敢えて韓国のBTSの作品にノミネートの機会を与えたのは、非常に異例のことだ。ましてや、BBMAsのようにソーシャルメディアの反応や人気を審査に反映していないにもかかわらず。偶然にも2018年、BTSの米国ツアー期間に、「グラミー・ミュージアム」（グラミー受賞者に関する資料を展示する博物館）はBTSを招き、音楽についてのQ&Aセッションをおこなった。グラミーがBTSの商業的な成功以外の面にも関心を寄せているのがわかる。このことが、デザインを評価するカテゴリーとはいえ、アルバムがノミネートされる結果につながった。つまり、断片的なファクトではなく、全体的な流れを理解する必要がある。受賞はもちろん、アルバム・パッケージのデザインが際立っていたためだろう。だが、2018年にアメリカで巻き起こった「BTS現象」にグラミーのメンバーが注目した証と考えると、より説得力がある。

グラミーはポップグループ、なかでもボーイズバンドを主要部門にノミネートした例がほとんどない、保守的なアワードだ。だがBTSは、主要部門や音楽ジャンルの部門ではないにせよ、音楽の美学に深く関わるデザイン部門で認められた。ある意味、それは変化が遅く保守的なグラミーが見せた、ささやかな賞賛のしるしかもしれない。グラミーの姿勢は消極的に感じられるが、これはK-POPの歴史において前例がなく、見逃せない進歩といえる。ひとつだけ付け加えたい。韓国ポピュラー音楽の価値は、アメリカの音楽産業に認められることによって、証明されるものではない。また、音楽が素晴らしいか否かは、賞によって決められるわけではない。アメリカを中心にすべてを判断する旧式の考え方も、いつか必ず克服されると信じている。しかし同時に、現実に目を向けることも大切だ。アメリカのレコード業界の威光はいまも絶対的で、世界中の音楽のトレンドを支配しているのは米国のポップスだ。また、限界は存在するものの、グラミーは権威あるアワードとして認められ続けている。これは、誰も否定できない。そんななかBTSは、韓国ポピュラー音楽のミュージシャンとして、初めてグラミー賞にノミネートされた。それだけで、賞賛され認められるに十分値する。私たちが気づかないうちに、多くのことが変わりつつある。もちろんこの先にも、さらなる変化があるはずだ。

Interview _ 07

グラミー賞投票メンバーと語る

ポッペラ歌手
イム・ヒョンジュ

BTSのグラミー賞進出は、韓国ポピュラー音楽における快挙で、大きな節目となった。
しかし、その重要性にたいする客観的な分析は、ほとんどなされていない。
世界的なポッペラ［ポップスとオペラの要素を合わせた音楽ジャンル］歌手として活躍中の
イム・ヒョンジュは、SNSでBTSの熱烈なサポーターとして知られている。
米国レコーディング・アカデミーの会員で、グラミー賞の投票メンバーでもある彼に、
BTSの魅力とグラミー賞ノミネートの意味を聞いた。

キム・ヨンデ　イム・ヒョンジュさんは、ポッペラ歌手として有名ですが、BTSの音楽を好きな人のあいだでは、特別な存在です。有名人のなかでもとくに積極的に、SNSを通じてBTSを応援しているからです。彼らに興味をもったきっかけが気になります。
イム・ヒョンジュ　最初に知ったのは2013年、BTSがデビューしたばかりの頃です。当時、私が所属していたユニバーサル・ミュージック・グループがBoys Republic[2013年デビューの5人組ボーイズグループ。2018年に無期限活動休止を発表]という新人アイドルグループを発表しました。BTSも同じ時期にデビューしたため、自然に関心をもつようになりました。
キム・ヨンデ　では、BTSの音楽に特別に注目するようになったのはなぜですか。ほかのアイドル音楽との違いとは何でしょうか。
イム・ヒョンジュ　私が最初に惹かれた曲は、「Blood Sweat & Tears/血、汗、涙」でした。BTSの音楽には、ほかのアイドルとは違う、一抹の飾り気もない姿勢が感じられます。深い内面から引きだした歌詞とメロディー、そして渾身のダンスに圧倒され、魅了されました。まるで運命のように。
キム・ヨンデ　音楽評論家の私は、BTSは音楽の制作に参加してみずから歌詞を書くだけでなく、つねに飾らないストレートな姿を見せる点で、既存のアイドルの殻(から)を破るグループだと評価しています。イム・ヒョンジュさんが考える、ミュージシャンとしてのBTSとは何でしょう。同じ音楽家として、彼らがこんなにも世界中で愛される理由をどう見ていますか。
イム・ヒョンジュ　私はデビューして、もう20年以上が経ちました。22年のキャリアをもつ、中堅ミュージシャンといえるでしょう。いかなるジャンルの音楽であれ、ミュージシャンはつねに誠実に、自分らしくストレートなメッセージを発信すべきだと考えてきました。それが私の音楽にたいする基本的な哲学であり信念です。この点で、

BTSはとても秀でたミュージシャンです。彼らは音楽を飾り立てようとしない。人気を得るためにトレンドに便乗したり、いわゆる「ヒットの公式」を追求したりすることもありません。つまり、自分だけのユニークな公式をつくり、特別な世界観を確立し、独自のトレンドを生みだして人びとをリードしたのです。このような長所を最大限生かし、世界的な旋風を巻き起こしたのではないでしょうか。

キム・ヨンデ　私は10年近く米国に滞在し、K-POPにたいするリアクションを観察し記録してきました。原点となっているのは評論家としての好奇心ですが、PSYやBTSのように世界中の人に韓国をアピールするミュージシャンを見ると、胸がいっぱいになります。そのような面では、ジャンルは違いますが、イム・ヒョンジュさんが歩んだ軌跡も、BTSと似ていると思います。イム・ヒョンジュさんも長いあいだ、国内外を問わず、文化広報大使として韓国の文化を伝えてきました。外国のクラシック音楽界で、世界的なポッペラ歌手として認められ、「韓流」を広める重要な役割を果たしています。多くの平和コンサートでもパフォーマンスを披露し、国連から平和メダルも授与されました。K-POPアイドルのなかではBTSがいま、似たような活動をしています。2018年には国連でスピーチもしました。

イム・ヒョンジュ　ミュージシャンとしての活動以外にも、音楽を通じて世界平和や人類愛、文化と宗教の多様性の保障など、社会貢献をしたいと思っているんです。このような一念で、国連やユネスコ、大韓赤十字社などの国際機関や、NGO団体に親善大使として長いあいだ携わり、個人的な時間を割いて、関連コンサートやイベントに参加し、寄付をしてきました。だから、BTSが国連本部でスピーチしたり、ユニセフの公式キャンペーンで活躍したりするのを見ると、とても誇らしい気持ちになります。

キム・ヨンデ　ビルボード・ミュージック・アワードでBTSに会い、話す機会がありました。盛大なお祭りのような雰囲気にもかかわらず、落ち着いて謙遜する姿が印象的でしたね。自分たちも気づかないうちにK-POPと韓国を代表する立場になり、ものすごいプレッシャーを感じているようでした。普通の人は体感しにくい、同じような境遇のアーティストだけが共有する感情だと思います。

イム・ヒョンジュ　浮き沈みの激しい世界のステージで韓国のカルチャーを伝え、国の代表としての役目を果たす。それがどんなに大きなプレッシャーなのか、よくわかります。だからこそ、BTSの活躍を心から応援し、サポートしたいと思っています。こんな風に言うのは少し恥ずかしいのですが、私はBTSに自分の足跡を重ね、シンパシーを感じたことがありました。ご存じの方もいらっしゃると思いますが、私はクラシック音楽のメジャーなレーベルではなく、ひとりだけの個人事務所からデビューしました。当時韓国ではなじみが薄かった、クロスオーバー音楽の「ポッペラ」というマイナーなジャンルのミュージシャンとして、多くの人にアピールすべく、長年にわたり、孤軍奮闘しました。国内のマスコミは関心を寄せず、パフォーマンスの機会もほとんどなく、人知れず涙を呑んだ時期もありました。でも、私の公式ファンクラブ「サリーガーデン」の献身的なサポートと声援のおかげで、世界を舞台に活動する唯一の韓国人ポッペラ歌手になれたのです。

キム・ヨンデ　イム・ヒョンジュさんの話を聞くと、BTSのファンクラブ「ARMY」が思い浮かびます。BTSのメンバーも私とのインタビューで、ARMYにたいする特別な気持ちを何度も表していました。かつてロックスターと音楽ファンとのあいだにあったものとは異なる、強い絆で結ばれているようです。

イム・ヒョンジュ　BTSもまた、韓国の3大芸能事務所ではなく、中小規模の事務所からデビューし、並大抵でない苦労を重ねて一歩ずつ前進してきました。いまの地位に上りつめることができたのは、ARMYの大きな応援と熱い愛情のおかげだと思います。BTSにとってARMYは成功の原動力であり、ARMYにとってBTSは人生のエネルギーの源になったのだと信じています。もはやARMYとBTSは切り離すことができない関係です。つまり「ファミリーシップ」で固く結ばれているのだと思います。

キム・ヨンデ　2018年のエムネット・アジアン・ミュージック・アワード（Mnet Asian Music Awards）で受賞した時のスピーチで、BTSはトップスターとして感じる苦しみや悩みを婉曲的に打ち明けました。見た目の華やかさとは異なり、クリエーター、アーティストとして感じるプレッシャーは、普通の人にはわかりにくい部分です。イム・ヒョンジュさんも10代初めから大舞台に立ち、海外で勉強と音楽活動を続けてきました。そしてポッペラという、当時はあまり知られていなかったジャンルに挑戦し、困難や挫折も多く経験したと思います。ジャンルは違いますが、BTSの活動を見ながら、特別な思いがあるのではないでしょうか。

イム・ヒョンジュ　報道で、BTSが所属事務所と再契約する前に解散について語りあったと知りました。彼らの苦労とプレッシャーの話を聞くと、多くのことを考えざるを得ません。私はわずか12歳でデビューしてから22年間、風が静まる日のない世界の舞台で、海千山千を経験してきました。30代半ばになって音楽業界と人生の先輩として、彼らが音楽について悩み、「ワールドスター」として苦しみ、漠然とした未来にたいして重圧を感じているのが、よくわかります。BTSが抱える重荷を100％推し量ることはできませんが、ひとつ確信しているのは、彼らはつねにそうしてきたように、これからも勝ち抜くだろうということです。BTSは胸の奥深くに燃える情熱をもっている。そして、この世の終わりまで彼らを愛し守るべく、ARMYたちが力強く彼らを支えているのです。

キム・ヨンデ　BTSの魅力は、音楽とパフォーマンスなど多角的に分析できますが、メンバーそれぞれのボーカルトーンと、優れた歌唱力も重要な要素だと思います。ボーカリストとして、BTSのボーカルメンバーの能力と個性をどのように評価していますか。

イム・ヒョンジュ　グループでボーカルを担当する人たちにとって一番大切なのは、完璧なハーモニーのための「音楽的な思いやり」だといつも考えています。声楽家の教授、あるいはポッペラ歌手の立場からBTSのボーカルについて評価をしてみましょう。まず、JIMINは、はっきりとしたディクション〔発声〕と真っすぐ伸びる高音のスキル、R&Bの感性を生かしたファルセットのテクニックがとても際立っています。だから彼の歌はリスナーの感情に強く響くのです。JUNG KOOKのボーカルは、抑制の美しさ。少年と大人の男性のはざまの端正で澄んだ声とヘッドボイスをなめらかにつないで歌うテクニックを、高く評価したいですね。Vは、メンバーのなかでも男性的な、バリトンボイスがとても魅力的です。彼は甘くソフトなトーンでの表現も優(すぐ)れ、複雑な感情を音楽に溶け込ませるのが上手だと思います。歌に感情を自然に投影できるのは、あらゆるジャンルのミュージシャンにとって、素晴らしい長所です。JINは、「銀色のボイス」。彼の生来の声は、華やかさや壮大さは控えめで、まるで耳元でささやくような感じです。でも、息が安定し、しっとりしたファルセット、そして自然なバイブレーションを備えた地声とヘッドボイスを自在に操れる点が強み。JINはアルバムをリリースするたびに驚くほど歌が上達しています。それは彼が普段からボーカルについて考え、努力しているからこそ、実現できること。さらなる成長が楽しみです。ボーカル担当以外のメンバーたちも、基本的にコードを巧みにコントロールできる実力があり、リズム感も素晴らしい。しかも、ステージでのダンスやラップ、歌など、彼らの音楽にたいする真摯な態度は、あらゆるジャンルのミュージシャンのロールモデルになると思います。

キム・ヨンデ　BTSディスコグラフィーのなかで、とくに気に入っている曲と、理由を教えてください。

イム・ヒョンジュ　BTSの曲はほぼすべて聴きました。どのトラックにも印象的な個性があって、選ぶのが難しいですね。でも、そのなかでいくつかを挙げるとすれば、私がBTSに惹かれたきっかけとなった「Blood Sweat & Tears/血、汗、涙」、世界的にヒットしたなかの1曲「DNA」、そしてARMYのために心をこめたセレナーデ「Paradise」です。

キム・ヨンデ　推しのメンバーはいますか(笑)。

イム・ヒョンジュ　うーん、いままでの質問のなかで一番難しいですね(笑)。どのメンバーも僕には魅力的に見えるので。ひとりだけを選ぶのはすごく大変です。

キム・ヨンデ　「グラミー賞の投票メンバー」という肩書抜きに、イム・ヒョンジュさんのキャリアを語ることはできません。ポピュラー音楽評論家として、とても誇りに思っています。選考が厳しいことで有名なレコーディング・アカデミーの会員、さらに投票メンバーにもなりました。今年BTSがグラミー賞にノミネートされた時も、投票メンバーのひとりとして、歴史的な瞬間をともにしました。投票メンバーとして、BTSの成果についてお話いただけますか。

イム・ヒョンジュ　おっしゃったとおり、私は2017年初めにグラミー賞を主催する、米国レコーディング・アカデミーの会員に承認され、もっとも高いレベルであるグラミー賞選考審査委員会のメンバーと投票メンバーになりました。すべての音楽人にとって「夢のミュージックアワード」とされるグラミー賞に、アジアのミュージシャンとしてわずかながら貢献でき、とても光栄です。私の経歴のなかで、とても重要なものとなりました。BTSは2019年2月に開催された第61回グラミー賞で「最優秀レコーディング・パッケージ」部門にノミネートされました。もちろん、当初期待されていた「最優秀ポップ・デュオ/グループ・パフォーマンス」「最優秀ダンス・エレクトロニック・

アルバム」部門の候補にはなりませんでした。でも、ノミネートが発表された時、私が自分の公式SNSに書いたように、これは奇跡であり、小さな成功だと思いました。それにもかかわらず、韓国のメディアの一部は見出しにグラミー賞ノミネート「不発」「失敗」と書きました。これにたいして、不快と遺憾の意をもう一度強調したいです。

キム・ヨンデ　グラミー賞は、あらゆる面で気難しいことで有名です。優れたミュージシャンでも、ノミネートすらされなかった人が数えきれないほどいます。そんななか、投票メンバーにBTSの音楽をきちんと理解する人が加わったのは、BTSにとっても、韓国の音楽界にとっても、心強いニュースだと思います。

イム・ヒョンジュ　グラミーのメンバーとして、中立の義務はしっかり守ります。ただ、同じ韓国人、あるいは後輩のミュージシャンであるということを抜きに、客観的な目線と基準で評価したとしても、BTSはとても近い将来、グラミー賞の主要部門にかならずノミネートされるでしょう。そのぐらい高くBTSの音楽を評価しているという意味です。

キム・ヨンデ　BTSはいまや誰もが知っているミュージシャンになりましたが、商業的に成功するのと批評家に認められるのは、また別の問題です。欧米のマスコミの一部では、BTSの成功にたいして文化的な偏見もあります。しかし、ジャーナリズムに関わるひとりとして何よりも残念なのは、韓国のマスコミが彼らの業績をきちんと理解していないこと。おそらく欧米勢に独占されてきた音楽界で成功するのが、いかに難しいか知らないからだと思います。

イム・ヒョンジュ　とても残念です。私もSNSで積極的に意見を述べました。BTSの歩みを見守りながら、同じ韓国人として、音楽界の先輩として言葉で表現できないくらいうれしく、誇らしく思っています。アジアのミュージシャンにとって想像を超えた、まぎれもなく世界最高の音楽チャートであるアメリカのビルボード。そのメインチャートで、彼らはアルバムをリリースするたびに記録を更新しています。とくに、ビルボード200で1位になり、ビルボードHOT100で10位を記録した時に感じた興奮と感動は、いまでも鮮明に覚えています。一方で、韓国のマスコミのやや冷めた態度と、ほかの多くのアイドルたちの静かな反応には疑問を抱き、怒りさえ感じました。それだけではありません。アンチファンが流した、明らかに事実と異なるフェイクニュースのような噂は、本当に嘆かわしいかぎりです。でも、真実はかならず明かされます。限界と障害をすべて乗り越え、BTSは「ワールドスター」へ黙々と前進しています。私たちにできるのは、勇気と力を与え続けること。彼らは韓国を超え、世界のBTSになりました。

キム・ヨンデ　イム・ヒョンジュさんは、20年以上歌手として活動しています。ジャンルは違いますが、BTSは同僚、そしてずっと年下の後輩です。同じミュージシャンとして「これだけは伝えたい」というアドバイスはありますか。

イム・ヒョンジュ　1998年にデビューした当時、私にとって「芸能生活20周年」は想像すらできないほど遠く感じました。でも、時はあっという間にすぎました。音楽にたいする情熱と絶え間ない努力。私が世界のステージに立ち続けることができた秘訣は、この2つといっても過言ではありません。BTSは前人未踏の道をもっとも成功したかたちで切り開きました。さらに上に行こうとあせらず、音楽への初心と情熱、そしてARMYへの心からの感謝をもち続けるよう願っています。そうれば、「生きる伝説」を超え、「不滅のスター」になれると信じています。

イム・ヒョンジュ

ポッペラ歌手。ローマ市立芸術大学（Civica Scuola delle Arti di Roma）声楽科の寄付基金教授。2017年、グラミー賞の選考審査委員会と投票メンバーに。国連およびユネスコの親善大使としても活動している。

Column _ 09

「地上最高のボーイズバンド」を超えて

BTSがワールドツアー「LOVE YOURSELF」のためにロサンゼルス国際空港に到着した時、アメリカの現地メディアは、イギリスのビートルズが米国市場を占領した、いわゆる「ブリティッシュ・インヴェイジョン」にたとえた。K-POPグループとして前例のない大型アリーナツアーと歴史的なニューヨークのシティ・フィールド公演は、ビートルズの伝説のシェイ・スタジアム公演とくらべられ、現地の放送局も彼らのコンサートに押し寄せた人波について何度もレポートした。アメリカのメディアには大げさな傾向があるとしても、異例の出来事だったに違いない。BTSが、ポップス史上もっとも偉大なアーティストであるビートルズと比較されるのは、それだけでも光栄なことだ。だが、BTS現象の歴史的な脈絡をたどれば、それが青天の霹靂ではなかったと気づくだろう。

想像してみてほしい。アジアから来た7人の若者が、近年のポップスではまれに見る爆発的なステージで、数万人の観客から説明がつかないほど大きな反響を引きだした光景を。1964年にジョン・F・ケネディ国際空港でビートルズを迎えた熱狂的なファンと、全米に嵐を巻き起こしたビートルズのツアーを覚えているロックンロールファンには、まさにデジャビュだろう。BTSがAMAsにルーキーとして招待され、「グローバル・センセーション」と評されたのは、わずか1年前のこと。だが、いまやほぼすべてのメディアが彼らを「地上最高のボーイズバンド」と呼ぶようになった。重要なのは、これらのタイトルを与えたのは、愛国心に満ちた韓国のマスコミではなく、アメリカの主流メディアだという事実だ。

こんな日が早くも訪れるとは、誰も想像できなかった。わずか数年前まで、K-POPはアメリカンポップスのハイブリッド、あるいはイミテーションとみなされていた。PSYの「江南スタイル」がビルボードHOT100で2位になった時でさえ、K-POPはインターネット時代が生んだ「奇妙なバイラルカルチャー」[SNSなどでヒットが生まれる文化]以上の意味は得られなかった。韓国出身のアイドルが、トレンドの最先端であるポップスで、かつてニュー・キッズ・オン・ザ・ブロックやイン・シンク、ワン・ダイレクションのように世界的なブームを巻き起こしたボーイズバンドの地位を継ぐ次世代のランナーとして評されると、誰が予想しただろうか。「地上最強のボーイズバンド」という評価は、アメリカのマスコミが好む「誇張記事」ではなく、ましてや「ボーイズバンド」というカテゴリーに限定することでBTS現象を過小評価しているわけでもない。私はそう考えている。彼らの音楽とメッセージを深く理解した人であれば、必ず共感するだろう。

「ボーイズバンド」というコンセプトは、イギリスとアメリカのポピュラー音楽から生まれ、原点は、米国ロックンロールの時代にさかのぼる。ボーイズバンドの定義にはいくつかの前提条件がある。60年代の米国ポピュラー音楽、とくにジャクソン5やオズモンズなど、ボーイズバンドの原型となったグループは、基本的に家族で構成されたボーカル・グループだった。この時期のボーイズバンドは、「帝王のようなプロデューサー」が才能のあるメンバーを選び、音楽とパフォーマンスのトレーニングを積ませていた。プロデューサーが音楽に関するすべてを決定する、つまりプロデューサーの完全なるコントロールのもとで「つくられる」グループだった。このトレンドは70〜80年代にデバージやニュー・エディションによって部分的に受け継がれ、80年代末、ニュー・キッズ・オン・ザ・ブロックで完成する。有能な作曲家でありプロデューサーのモーリス・スターが、歌とダンスの上手な白人の少年たちをオーディションで選抜してトレーニングしたこのグループは、現代的なボーイズバンドの要素をほぼすべて備えていた。アメリカのポップス市場を完全に征服した「ニュー・キッズ」シンドロームは、世界中に広がった。彼らの成功は、「支配的なプロデューサーがつくった音楽をパフォーマンスする、カッコ良い若い男性グループ」という公式を完璧に確立させ、新たなジャンルを生んだ。ニュー・キッズ・オン・ザ・ブロックは、あらゆる面で現代的なボーイズバンドの典型だった。ロックンロールとR&Bに由来するスイートなポップ音楽のサブジャンル、「バブルガム・サウンド」を掲げ、10代から20代の女性にターゲットに絞り、音楽やメッセージを彼女たちが好むスタイルに合わせた。甘い歌詞にぴったりのロマンチックな恋とシリアスすぎない人生の物語は、カッコ良いルックスとクールな振付で飾られ、万人受けするイージーリスニングなポップミュージックが誕生した。ニュー・キッズ・オン・ザ・ブロックに代表されるボーイズバンドの音楽は、実験も冒険も試みない。このようなイギリスとアメリカにおけるボーイズバンドの傾向は、30年がすぎたいまでも、ほぼ同じだ。

BTSもポップスの歴史のなかで、ボーイズバンドにカテゴライズされる。なぜなら、彼らを生んだK-POPシーンは、米国と英国のアイドルのプロダクションシステムがルーツだからだ。90年代初めにアメリカを席巻し、韓国でも社会現象を起こしたニュー・キッズ・オン・ザ・ブロックの人気にインスパイアされたSMエンターテインメントの創業者イ・スンマンは、韓国音楽産業の未来はアイドルにあると、いち早く見抜いた。アメリカのダンス音楽のトレンド感覚と、日本が10年前から発展させていたアイドル育成システムを結合させ、「K-POPアイドル」という優れたハイブリッドを誕生させる。JYPやYGなど、80年代にアメリカンポップスを聴いて育ったミュージシャンが立ち上げた芸能事務所も、後発組としてこの流れに合流。そして「練習生システム」を中心としたK-POP産業をともにつくり上げ、アイドルの全盛期を享受した。JYPのプロデューサーとして音楽と経営の手腕を磨いたパン・シヒョクは、みずから創立したBig Hitでこの伝統を受け継いだ。芸能事務所によって選抜、育成されたアイドルグループBTSは、ジャクソン5やニュー・キッズ・オン・ザ・ブロックを経てK-POPへとつながった、ボーイズバンドの系譜を引いている。ポップスの歴史に存在した数多くのアイドル・ボーイズバンドのように、「カッコ良い青年」で構成され、ヴィジュアルとパフォーマンスの美しさにフォーカスしたグループである点も、このような流れを汲んでいる証だ。しかし、BTSがこれまでのボーイズバンドと重なるのは、外面的な部分のみ。音楽のディテールと姿勢をもう少し深く掘り下げれば、BTSが過去の有名ボーイズバンドとは根本的に異なり、より幅広い層にアピールする、また別のモデルとコンテンツで成り立っていると、すぐに気づくはずだ。

BTSが既存のアイドルと決定的に違うのは、プロデューサーだけに頼らず、メンバー全員がある程度自分たちの音楽に関わる権利をもっている点だ。ポップスの歴史を振り返ると、ボーイズバンドは、メンバーを選びグループを組み立てたマネージャーあるいはプロデューサーの、音楽的ビジョンを投影する、いわばスクリーンだった。その例が、プロデューサーとマネジメントを中心としたアイドルグループのコンセプトを最初に確立した、モータウンだ。60年代を代表するガールズグループのシュープリームスと、70年代を代表するボーイズグループであるジャクソン5の音楽は、モータウンの創設者ベリー・ゴーディのビジョンのもと、厳しくコントロールされていた。すべての曲は、インハウス作曲チームのザ・コーポレーション、あるいはホーランド=ドジャー=ホーランドといったソングライター・プロデュースチームが担当し、グループのメンバーには曲作りに参加したり発言したりする権利はほとんどなかった。これは、現代的なボーイズバンドでも同じだ。プロデューサーのモーリス・スターによって結成されたニュー・エディションとニュー・キッズ・オン・ザ・ブロックは、それぞれ黒人と白人で構成された、人種が異なる双子のようなグループで、いずれもモーリス・スターの音楽的ビジョンを表現する「手段」という意味で同じだった。とくにニュー・キッズ・オン・ザ・ブロックは、メンバーたちがヒップホップに近いサウンドを望んでいたにもかかわらず、モーリス・スターが好むバブルガム・ポップに寄せ続け、結局、ステレオタイプな枠を壊せなかった。このような選択をしたのは、商業的に「安全」な道だったからだ。それだけではない。ニュー・キッズ・オン・ザ・ブロックの流れを継ぎ、ボーイズバンドの流れに乗って成功した2つのグループ、バックストリート・ボーイズとイン・シンクは、マネージャーのルー・パールマンの徹底したコントロールのもとに置かれ、作曲家や編曲家もすべて彼によって決められた。また、2010年代最高のボーイズバンドのひとつ、ワン・ダイレクションも、サイモン・コーウェルがオーディション出身の歌手を集めてつくったボーイズバンドで、グループの活動は彼の全権のもとでおこなわれていた。イギリスやアメリカのアイドルをベースに産業モデルをつくったK-POPも、ほぼ同じだ。SM、JYP、YGに代表されるK-POPのアイドル音楽は、いずれも社名が設立者のイニシャルであることからも推測できるように、プロデューサーの趣向と方向性を汲むペルソナとしてグループがつくられるのが一般的だ。その過程で、メンバーの音楽的なイニシアティヴは、極度に制限される。唯一の例外があるとすれば、グループが一定の成功を収めた場合だ。トレーニングを受けたアイドルに、創作の自由や音楽的な主導権が与えられることはほとんどないが、これは逆にアイドル音楽だけの特徴であり、商業的なアドバンテージとされた。

しかし、BTSとBig Hitの関係をよく見れば、上記のケースとははっきり違うのがわかる。プロデューサーのパン・シヒョクは、会社が決めた特定のスタイルではなく、BTSというチームがもつ個性と、芸術の自由に重きを置く。メンバーは、主にラップの作詞を積極的に手がけるのはもちろん、少数のインハウス・プロデューサーの力を借りながら、作曲や編曲など、サウンドメイクのすべてに深く関わっている。もちろん、BTSの音楽にパン・シヒョクやBig Hit所属のプロデューサーが大きな影響を与えているのは、明らかだ。それでも、プロデューサーがトップダウンでコントロールするのではなく、メンバーの自由なアイディアや意見を反映することで、BTSの音楽は自然に美しさをまとうようになった。彼らの音楽的なルーツが、「芸術性」と「本物であること」にたいするハードルが一番高いヒップホップだというのもその要因だろう。BTSが目指したのは、アイドルという服を着たヒップホップグループに近く、ヒップホップでは、アーティストがラップやリリックに関わる権利、いわばコントロール権をもつか否かが「本物」と「ニセ物」を分ける基準となる。BTSは幸い、新人の頃から歌詞を書き、ビートメイクに参加し、グループの音楽に自分たちの個性を吹き込むことができた。これはアイドルとしては例外的といえる。

BTSのアイデンティティには、曲をみずからコントロールする権利が内包されている。つまり、彼らの音楽には、伝統的なボーイズバンドには難しかったオリジナリティが盛り込まれているのだ。このオリジナリティは、自分に素直であることで、さらにパワーを発揮する。すなわち、BTSの芸術的な価値は、彼ら自身がパーソナルな言葉で綴(つづ)った歌詞とメッセージを発信することで光を放つ。ほかのボーイズバンドのように、普通の恋愛についても歌うが、自分自身と周りの世界にたいする省察的で哲学的なメッセージの魅力は、BTSだけの持ち味だ。彼らはとくに、アイドルの音楽ではタブーとされてきた「正直であること」にたいし、とてもオープンだ。歌詞は偽りがなく具体的で、自分の感情や弱さをためらいなく表現する。敵や社会には批判的で反抗的だが、同世代の若者と心を分かちあい、励ましと癒しのメッセージを送る。大切なのは、メッセージはすべて、彼らの感情と経験から自然に生まれていること。K-POPの歴史において、いや、世界のボーイズバンドの歴史において、こんなにも独創的で、ストレートで、健全なメッセージを歌うグループはいなかった。

これらの要素によってBTSは、ほかのK-POPアイドルと異なるだけでなく、過去の「偉大なボーイズバンド」の数々とも差別化される。そしてこれは、いかなるアイドルのボーイズバンドよりも、はるかに大きなファンダムをもつ決定的な理由となった。BTSのファンダム「ARMY」には、さまざまな文化、人種、世代の人びとがいる。BTSの音楽には、これらの枠を超える普遍性があるからだ。ポピュラー音楽の越境性を表す「クロスオーバー」という用語がある。これは、人種や地域、ジャンルごとに市場と消費者層が存在した、アメリカのポピュラー音楽に由来する概念だ。「クロスオーバー」とは、文字通り、ある音楽が特定のグループから別のグループへ「境界を越える」ことを意味する。私は、BTSの世界レベルの人気は、K-POPとして、そしてボーイズバンドとして史上初の、本物の「クロスオーバー」現象だと信じている。ARMYはアジアや北米だけでなく、南米、中東、アフリカ、ヨーロッパにまで広がり、彼/彼女たちの情熱は、かつて最高のボーイズバンドと呼ばれたグループや現代のK-POPアイドルとくらべても圧倒的だ。BTSの「LOVE YOURSELF」ツアーでは、ボーイズバンドやアイドルのファンとして知られる10代と20代だけでなく、中年の女性ファンの姿もよく見かけた。ボーイズバンドのコンサートで中年の女性に会うのは往年のグループの再結成コンサートぐらいだ。だが、BTSは違う。2世代はもちろん、3世代の女性ファンがともに会場にやってくる。BTSのファンである「ママの保護者」として娘が来るというケースも少なくなかった。

本物の音楽と卓越したアピール力。ボーイズバンドとしてのBTSの魅力は、既存のアイドルグループ、たとえばニュー・キッズ・オン・ザ・ブロックや、ワン・ダイレクションではなく、よりスケールの大きいポップスのレジェンドとやはりくらべざるを得ない。BTS現象の文化的なインパクト、つまりアジアという「外部から侵攻」した点で、もっとも近いモデルがビートルズだとすれば、普遍性と卓越したクオリティでさまざまな人種とカルチャーの枠を超えた、すべての才能を兼ね備えたスターという面ではマイケル・ジャクソンを彷彿とさせる。また、ステージでの圧倒的なパフォーマンスとカリスマ性では、クイーンのフレディ・マーキュリーを思いだす。いま挙げたアーティストには、重要な共通項がひとつある。音楽的にも文化的にも既存の枠組みに安住せず、新たな領域を開拓し、つねに人びとを説得してきたという点だ。ビートルズは当初、アメリカンロックンロールの創始者、チャック・ベリーと、ロックンロール・シンガーソングライターのバディ・ホリーのサウンドを追求したが、さらにインド音楽やクラシックなども取り込み、アートポップとサイケデリアの時代を切り開いた。マイケル・ジャクソンは、MTV初の黒人アーティストとして、これまでの黒人ミュージシャンたちが慣れ親しんだR&Bを超え、ロックとポップスを果敢に受け入れる。結果、白人のリスナーも虜(とりこ)にし、「キング・オブ・ポップ」に君臨した。フレディ・マーキュリーもロックバンドという典型的なカテゴリーを拒み、まったく新しいスタイルのパフォーマンスと、ジャンルを超越した音楽で、唯一無二の「フロントマン」としてロック史に名を刻む人物となった。BTSはK-POPグループだが、K-POPアイドルの型を破り続ける。伝統的なボーイズバンドの魅力をすべて備えているにもかかわらず、モデルにとらわれない。BTSはK-POPには遠い夢だったアメリカのメインストリームに足を踏み入れ、既存のボーイズバンドには叶わなかった幅広いファンを獲得している。K-POPのアイドルグループは、もはや比較の対象ではない。

アメリカンポップス、J-POP、K-POPを問わず、ボーイズバンドはポップスを標榜している。しかし、数多くのグループが生まれ、消えるなかで、ビートルズやマイケル・ジャクソン、フレディ・マーキュリーのように卓越した地位にいたるアーティストはいなかった。イギリスとアメリカのボーイズバンドのほとんどは白人のメンバーで、ファンも中流階級の白人の若者層。よって、黒人や南米、アジア圏にたいしては、大きな影響力をもたなかった。また、型破りで実験的な音楽をあまり試みず、ヴィジュアルとダンス、歌においても完璧とはいえないグループが多数を占めた。しかし、BTSはここから一歩進みでた。彼らは、アメリカンポップスがつくり、K-POP

に引き継がれた現代アイドルの公式にもっとも忠実なだけでなく、その型を壊す、進化したモデルをしめしている。グループ全員がボーカルで、1人か2人がメインを務める米国や英国のボーイズバンド、そしてメンバーの大半がボーカル担当のK-POPアイドルとは違い、BTSは3人の秀でたラッパーと、異なる音色を備えた4人のボーカリストで構成され、幅広い音楽をこなす。1枚のアルバムのなかでさまざまな時代やジャンルの音楽に果敢に挑むのは、彼らが多彩な才能の持ち主だからだ。BTSのラッパーは、ヒップホップシーンのラッパーと肩を並べるスキルをもっていて、ボーカリストもほかのR&B歌手とくらべて引けをとらない。一番大事なのは、大部分のアイドル音楽が望んでも叶わなかった、国境や世代を超えた共感を得るのに成功したということだ。普遍的で健康的で深みある、ボーイズバンドとしてはまれな数々の特性は、いじめ暴力の撲滅キャンペーンでユニセフとタッグを組み、国連総会でスピーチする機会を与えられる、大きな要因となった。

突然巻き起こったBTS現象とは何か。現在、韓国とアメリカのメディアが、本質を説明すべくモデルを探し続けている。だが、BTSブームは、これまでメディアが知っていた「韓流」や「K-POP」の枠では、完全に説明できない。ゆえに、どうにかたどり着いた結論が「地上最高のボーイズバンド」という呼称だった。この肩書は、韓国ポピュラー音楽の歴史で前例のない栄誉かもしれないが、BTS現象の本質を見抜いているとはいいがたい。BTSは、「アジア出身のボーイズバンド」という、人種的な限界をすでに超えている。韓国語の曲という言葉の壁にもかかわらず、パフォーマンスの美学と音楽、メッセージが秘める普遍的な魅力で、幅広い階層と人種の心をとらえているからだ。ヒップホップをベースにしたバラエティ豊かで実験的な音楽は、既存のボーイズバンドとはまったく異なる。

人びとはBTSを「地上最高のボーイズバンド」と呼ぶ。しかし、実際に私たちが目の当たりにしているのは、アイドル・ボーイズバンドのリミットを超えて生まれた、新たなポップグループだ。

Epilogue

「BTS現象」の本質とは

BTSの本を書くとは、夢にも思っていなかった。だが、すぎた歳月を振り返ってみると、実は必然の結果なのかもしれない。私は2006年に、初めて韓国のヒップホップの歴史とカルチャー、産業について著した本『韓国のヒップホップ：情熱の足跡』を同僚とともに出版した。そのあとも韓国でテレビ番組『SHOW ME THE MONEY』によってヒップホップが大衆化（あるいは商業化）し、K-POPが1TYMやBIGBANGにみられるようにヒップホップを「妥協」しながら取り入れていく過程に注目してきた。2007年、「音楽」をもっと深く学ぼうとアメリカに留学して以来、K-POPや韓国のヒップホップにたいする興味は、より学問的な方向に発展しはじめる。当初、私は米国で活動する韓国系アメリカ人やアジア系アメリカ人のミュージシャンに関心があった。ところが、アメリカに住んでみると、K-POPに熱狂する若者たちがいることに気づいた。これはなぜだろう。そう思っていた頃、忘れもしない出来事が起きる。「江南スタイル」が、アメリカ中に旋風を巻き起こしたのだ。みながK-POPを語り、ブームとともに韓国ポピュラー音楽のさまざまな面が、アメリカで本格的に知られはじめた。やはり私も、少しずつアンテナを張るようになった。

トレンドは、評論家の思う方向に進まないのが世の常だ。時には、

それが幸いすることもある。「ヒップホップは、韓国のメジャーな音楽シーンでは定着しにくい」という私の悲観的な予測に反して、韓国のヒップホップは商業的な成功と、評論家からの認定という「二兎」を得て、勢いに乗りはじめた。『SHOW ME THE MONEY』はドラマチックな構成とストーリー性で放送開始からセンセーションを巻き起こす。BIGBANGのG-DRAGONがリリースした2枚目のソロアルバム『One of A Kind』(2012年)は、前作『Heartbreaker』(2009年)が酷評されたにもかかわらず、ふたたびヒップホップを前面に出したところ、今回はヒップホップ専門メディアから賞賛された。そしてついにG-DRAGONは、韓国大衆音楽賞のヒップホップ部門を受賞した。2013年にKCONで披露したG-DRAGONとアメリカのラッパー、ミッシー・エリオットによる「닐리리야/ニルリリヤ」のコラボステージは、韓国ヒップホップの歴史で忘れられない瞬間だろう。私が「ヒップホップアイドル」というフォーマットに特別な関心をもったのも、この時期だった。ヒップホップの文化的な特性を鑑みれば、アメリカで受けるはずだと予想したからだ。まさにその頃、(本書のInterview 01にも登場している)ヒップホップジャーナリストのキム・ボンヒョンから、「BTSというグループがデビューを控えている」と聞いた。2014年、BTSの名をLAで開催されたKCONの出演者リストに見つけた時、非常に興味をそそられた。そして実際にKCONの現場で観客の熱い反応を目撃し、新たな時代の兆しを漠然と感じた。音楽業界に長く携わる評論家としての第六感がはたらいたのかもしれない。KCONを訪れたさまざまなマスコミやファンと話すうちに、たんなる私の思い込みではないと気づいた。毎年KCONに足を運んでトレンドを追い、2016年にふたたびKCONのステージに立ったBTSが信じられないほどの歓声に包まれたのを目の当たりにし、「地殻変動はすでに始まっていた」と確信した。もし私がアメリカに住んでいなかったら、そしてKCONで新たな変

化をキャッチしていなかったら、果たしてBTS現象にいまほどの関心をもっていただろうか。人生は偶然のような必然の連続である。

KCONのあと機会があるたびに、BTSとヒップホップアイドルの新たなトレンドの話題をもちだしてみたが、強い興味をしめす人はいなかった。BTSというグループに関心がなかったのかもしれないが、ヒップホップアイドルという矛盾したフォーマットにたいする無関心や拒否反応のほうが大きかったのだと思う。その後、私はBTSの歩みを追い続ける一方、アメリカの学会や大学の講義、セミナーなどで、BTSをはじめとするK-POPの新しい動きについて考えを発表するようになった。ついに2017年、BTSがBBMAsの「トップ・ソーシャル・アーティスト」部門で受賞し、風向きが少し変化する。AMAsに招待され、スペシャルパフォーマンスを披露すると、韓国のメディアも、BTSに注目する外国の反応を紹介しはじめた。だが、彼らをずっと見つめてきた私には、韓国のマスコミがこの現象の本質や文脈をまともに理解していないのが、非常にもどかしかった。そこで、個人のYouTubeチャンネルで、BTSのアメリカでの人気の重要性と音楽に込められた意味を分析し、投稿したところ、その動画が視聴者たちのささやかな共感を得た。BTSの活動範囲が広がるたびに、自分の知っている範囲で解説動画をアップするうちに、ネットユーザーやジャーナリスト、学者に、数えきれないほど引用されるようになった。いまでも関連する質問をよく受ける。忙しい1年だったが、それでも当時は自分がBTSについての研究や評論書を出版するとは想像していなかった。

2018年5月、幸運なことに、BTSがBBMAsに参加した時、私は彼らのパフォーマンスと観客の反応を間近で見る機会を得た。幼い頃テレビで見ていたBBMAsの会場を訪れ、レッドカーペットでスターの取材をするのも興味深かったが、何よりも忘れられない体験がひとつある。それは、BBMAsの現場でBTSと会ったことだ。彼らの多忙なスケジュールの合間に、運良くインタビューができ、短い時間だったが、テレビではなかなか聞けない奥深い話を教えてもらった。インタビューを終えてシアトルに戻る飛行機のなかで、私はこれまでの論考やレクチャーを整理し、1冊の本にまとめようと決心した。直後に開催されたワールドツアー「LOVE YOURSELF」は、私のアイディアをさらに発展させる機会となる。4日間でシアトルとシカゴ、そしてニューヨークを宿泊せずに回る弾丸ツアーで感じたことを、ふたたびYouTubeで語った。その一部は、新聞や雑誌で紹介された。予想以上に多忙となったこの1年間、YouTubeや新聞、雑誌などで伝えた内容を数カ月かけて発展させ、まとめたのがこの本だ。憂慮する人もいたし、キャリアの途上にあるアーティストについての評論書を出版することに、私自身プレッシャーも感じた。この本で説明した内容は評論家としての私の「解釈」だが、これには当然BTSの未来については反映されていないため、時が経つにつれてニュアンスが変わったり、矛盾が生じたりする可能性がある。もちろん、私の主張の多くは、のちに反論されたり修正されたりするかもしれない。それでも、本書に記した分析には意味があると信じている。彼らがキャリアを重ねるとともに、新たな研究と取材を通じて、より深い解釈を加えていきたい。何よりも、音楽とアーティストにたいする真摯な気持ちが少しでも伝わるように願うのみだ。

この本の冒頭で投げかけた問いに戻ろう。BTS現象の本質とは何か。「Prologue」の最後に書いたように、読者のみなさんがBTSの音楽に心を揺さぶられ、私の話にうなずいたとすれば、その感動と共感の瞬間にすべての答えが存在する。BTSの音楽と現象の本質は、共感と癒しを引きだす「普遍性」にある。そしてこの「普遍性」は、既存の放送システムがもつ権力ではなく、ファンとの密接なインタラクション［複数の存在がお互いに影響を及ぼしあうこと］を通じて大きく広がっていく。化学変化にたとえると、BTSとその音楽が80％を占めていて、ARMYを中心とした大衆との親密な関係性から生まれた生成物が残りの20％を満たし、この「現象」が完成する。BTSの音楽は、21世紀のK-POPのなかで、もっとも普遍的なパワーをもっている。彼らのメッセージは、押しつけがましくなく説得力に満ちている。自身が抱く闇と絶望を認めつつ、過度に後ろ向きになったりはしないからだ。彼らの最新トレンドに乗った音楽には、90年代以降、積み重ねてきた韓国ポピュラー音楽の感性とノウハウすべてがDNAとして受け継がれている。BTSの音楽とパフォーマンスの普遍的な魅力には、若者と上の世代、異なる文化と人種、西洋の美学と韓国的な価値観、そして「自分」と「自分のなかのもうひとりの自分」を和解させる底力がある。誰もが好きなことだけを叫ぶ現代において、手垢がついてはいるが非常に大切な「コミュニケーション」という行為の価値が、BTSの豊かな音楽とパフォーマンスによってアップデートされた。この現象を世界中に広める最大の原動力は、さまざまな文化圏に存在するARMYだ。ARMYのあふれる情熱によって、国家と文化を超えた大きな波が生まれている。BTS現象は、BTSというアーティストのみならず、BTSとARMYがともにつくりだしたものだ。音楽の普遍性とファンとの密接な関係が生んだシナジー。これこそが、私が本書を通じて強調したかった、これまで誰にも語られたことがなかった、BTS現象の本質だ。

日本版書き下ろし

BTSのこれから

『BTS: The Review』[原題]を2019年3月に韓国語と英語で出版したあと、実にいろいろなことが起きた。この本で私が指摘した通り、アメリカを中心とするBTSの人気は、2019年を起点にさらに広がり、BTS現象はいまや誰が見ても明らかなほど揺るぎないものになった。すでに本書で多くを語ってきたが、新たな記録と業績を次々と打ち立てるBTSの活動すべてを追うのは並大抵のことではない。そこで、日本語版刊行に感謝する思いを込めて、韓国語版には盛り込めなかったBTSの最近の活動と意味について述べ、かんたんに分析すると同時に、今後彼らがどのような活動を通じて新たな歴史をつくることができるのかについて、私なりの展望を書き添えたい。

2019年に起きたBTS現象のなかでもっとも注目に値する最初の出来事は、5月のビルボード・ミュージック・アワード（BBMAs）だった。BTSは、3年連続で「トップ・ソーシャル・アーティスト」部門を受賞した。この賞の意味についてはすでに本文でも指摘しているが、彼らがアメリカの音楽ファンのあいだで大きな話題を集め、最高に人気があるグループのひとつだという事実をあらためて知らしめたのだ。トップ・ソーシャル・アーティスト賞は、しばしば音楽ファンから過小評価を受ける。音楽的な成果ではなく、単なる人気を、それもソーシャルメディアでの人気を指標にしているという理由からだ。しかし、アメリカの音楽業界のメインストリームに立ちはだかる高い壁を考慮すれば、低く評価する必要はまったくない。アメリカ音楽業界は、外国のアーティストが進出したり、トップに立ったりするのをなかなか許さず、できれば自国のスターがスポットライトを独り占めすることを望む。だが、BTSの圧倒的な人気と話題性は、すべての偏見と差別を超えるほど強烈だ。ソーシャルメディアで活動する彼らのファンが団結し、主流メディアの助けなしで壁を乗り越えた。BTSは既存のシステム、つまり王道を通らず、迂回しながら高みに達したのだ。これは一種の「メディア革命」であり、21世紀的なポップカルチャーの重要な現象のひとつとしてみなされるべきである。現代の新しい流れにおける一種の「時代精神」(zeitgeist)ともいえる。BBMAsでのBTSの成功は、これだけにとどまらない。彼らは外国人アーティストとして初めて「トップ・デュオ/グループ賞」にも輝いた。単にソーシャルメディアのなかで人気があるのではなく、「ビルボード・チャート」という完全に商業的な指標でみても、アメリカ市場の頂点に立ったことを確認させる重要な事件である。

BBMAsでの成功は、決して偶然ではなかった。それは、グラミー賞に次ぐ長い歴史をもつアメリカン・ミュージック・アワード(AMAs)で、あらためて立証された。BTSは、これまで4人のスーパースターにのみ与えられた「ツアー・オブ・ザ・イヤー賞」という栄誉を手にした。ビヨンセ、コールドプレイ、テイラー・スウィフトらなど当代最高のスターが受賞したこの賞は、その年にもっとも高い収入を得て、多くの観客を動員したコンサートツアーの主人公に与えられるものだ。ワールドツアー「LOVE YOURSELF」でBTSは、2018年に一番高い収入を記録しただけでなく、アメリカ音楽市場で最高の成功に浴した「非英語圏」のアーティストになった。さらに意義深いのは、彼らが「デュオ・オア・グループ ポップ/ロック」カテゴリーで受賞したという事実だ。アメリカの大衆音楽において、ポップ/ロックという区分はメインストリームのアーティストに許される、ある種の特権だ。同部門にノミネートされるアーティストのほとんどはアメリカ人であるだけでなく、白人であるといっても過言ではない。1974年にAMAsが設立されて以来、同部門で受賞した外国アーティストはBTSのみだ。彼らがポップ/ロック部門で受賞したのは一種の壁を崩した象徴で、これは音楽的な功績以上の社会文化的な成果とみなすべきだろう。

BTSの人気と影響力は、音楽アワードだけでなく、ポップカルチャー全般においても、はっきりと確認された。一番代表的なのは、アメリカの人気番組『サタデー・ナイト・ライブ』に出演したことだ。この番組は、一般的なバラエティ番組と一線を画(かく)す。1975年の放送開始以来、数多くのスターを輩出した最高のコメディショーであり、ミュージックショーとしても広く人気を得ている。アメリカのポップカルチャーのトレンドをリードし、流行が象徴的に表現される場でもある。多くのスーパーアーティストがライブをおこなったステージとしても有名で、韓国のグループであるBTSがこの栄誉あるステージに招待され、新曲「Boy With Luv」「MIC Drop」を披露したのはそれだけで大ニュースであり、韓国音楽史に刻まれるべき出来事だった。BTSが単に特定の階層や人種のためのアーティストではなく、アメリカのメインストリームをなす大衆にもアピールできるアーティストであることを、アメリカの芸能界が認めたといって良い。これは、韓国はもちろん、いかなるアジアのポップカルチャーにも見られなかった大きな変化である。

BTSは2019年のラストを例年以上に華やかに締めくくった。スター司会者ライアン・シークレストがホストを務める『ディック・クラーク・ニュー・イヤーズ・ロッキン・イヴ』にメインパフォーマーとして出演したのだ。1972年から毎年放送されているこの番組は、『サタデー・ナイト・ライブ』と同様にアメリカ芸能界、そのなかでも音楽業界を象徴する重要なイベントだ（日本の音楽業界における『NHK紅白歌合戦』に似ているといえる）。毎年大晦日にニューヨークのタイムズスクエアとハリウッドなどでおこなわれるこのイベントで、タイムズスクエアのメインステージに立ったアジアのアーティストは2組だけ。2012年に「江南スタイル」でセンセーションを巻き起こしたPSYと、BTSだ。BTSの『ニュー・イヤーズ・ロッキン・イヴ』登場は、それ自体が大きな話題を呼んだ。多くの米国人が彼らに熱狂する姿が全国に放送されることで、人気がいかに広がっているかをあらためて知らしめた。

BTSの今後の活動について多くのファンが一番知りたがっているのは、兵役の義務に関することだろう。2000年代序盤にコリアン・アメリカンの有名歌手ユ・スンジュンが兵役逃れの疑惑をかけられ、いまだ韓国に入国できないほど、兵役問題は韓国人にとって非常にセンシティブな問題だ［幼い頃アメリカに移住したユ・スンジュンは、1997年に韓国でソロ歌手としてデビュー。兵役を控えた2002年、突然アメリカ市民権を取得して兵役免除を受け、その後、韓国への入国査証発給を拒否された］。現在BTSは、27歳になったJINをはじめ４人が20代半ばで、軍入隊の時期を考慮しなければならない状況だ。韓国では過去、兵役義務は歌手のキャリアに決定的な打撃を与えた。軍隊を経た多くのスーパースターが、かつてのような人気を得られなかったり、グループが解散したりする不幸を経験したことも、明らかな事実だ。しかし、BTSの場合は異なるだろうと予想している。BTSは昨年、Big Hitと7年契約を結んだ。当然、そのなかには兵役義務期間の18カ月がふくまれる。

また、1年6カ月という現在の服務期間は、過去にくらべるとずっと短い［兵役期間の短縮が2018年10月から実施。21カ月だった陸軍は18カ月となった］。もはや軍入隊はキャリアに大きな影響を及ぼさないうえに、むしろ兵役を終えた芸能人たちはさらに良いイメージで新たなキャリアを築けるというポジティブな要素もある。作詞・作曲にも参加するBTSのメンバーにとっては、音楽に想いをめぐらせ、エネルギーを充電できる機会にもなるだろう。また、一部のメンバーが兵役中だとしても、レコーディングのようなグループ活動は可能だ。BTSはこれまで、各メンバーがソロでミックステープなどをリリースし、優れた音楽的才能を発揮してきた。このようなソロまたはユニット別の活動も、オプションとしてありうる。現在、K-POPでBTSの人気を脅かすほどのグループはまだ見えていないことを鑑みると、兵役問題を考慮しても、彼らの人気は今後数年間、大きく揺らぐことはないと信じている。

最後にBTSの日本における活動について述べ、短い文を終えたい。現在BTSは、アメリカを中心に欧米で大きな人気を集めているが、いまもなお、もっとも重要な市場は、ほかならぬ日本である。BTSにとって日本は、単一国家として一番大事なマーケットだ。音楽市場において、日本は米国に次ぐ規模を誇る。英語でアルバムをリリースしないことで有名なBTSが、日本では計4枚のジャパニーズバージョンを出した異例の事実を見れば、彼らが日本市場に格別の努力を注いでいるのがわかるだろう。情熱的で忠実なファンが多い日本でBTSがこのように活動するのは、ある意味当然といえる。ただ、彼らの日本での活動について、いまだ多くの韓国人が一種の反感を抱いているのも事実だ。もちろん、これは歴史的に敏感にならざるを得ない日韓両国の政治的な問題に関することで、BTSや所属事務所Big Hitのせいではない。彼らは日本のARMYがBTSにとって一番重要なファンダムである点を重視し、だからこそ今後も彼らはさまざまな音楽を日本で発表し、ツアーを通じてファンと出会うと予想される。この記事を書いているいま、Big Hitエンターテインメントは、BTSが2020年ワールドツアー「MAP OF THE SOUL」で、福岡、大阪、埼玉、東京で計12回、日本公演を開催すると発表した★。アメリカが欧米におけるBTS現象のもっとも重要なハブである一方、日本は依然として彼らにとってもっとも経済的に意義があるアジア市場の中核として存在し続けるだろう。

キム・ヨンデ

★ 新型コロナウイルス感染症の世界的流行により、2020年ワールドツアーは「全面的に再調整」とアナウンスされた。

訳者あとがき

「世界を夢中にさせる」もうひとつの理由

BTSをインタビューする機会に恵まれたのは2016年8月。朝日新聞出版『AERA』(同年9月19日号)での取材だった。朝一番早い飛行機で来日して、そのまま撮影スタジオに直行。ほとんど徹夜だという。理由を、「ドラマ『花郎〈ファラン〉』を撮っていた」「もうすぐ誕生日なのでファンに贈る曲をレコーディングしていた」とそれぞれ明かしたVとJUNG KOOK。疲れを見せることなく終始笑顔で、「しゃぶしゃぶが大好きで、みんなで100人分を平らげる」(JIMIN)など、ユーモア交じりに会話が弾(はず)んだ。

当時、日本でのセカンドアルバム『YOUTH』をリリースしたBTSは、平均年齢21歳。アジア10都市をまわるアリーナツアー「花様年華 on stage: epilogue」のファイナルを、東京・代々木競技場第一体育館で終えた直後だった。「小さなライブ会場からスタートしたのに、いまでは大きなホールにファンが来てくださり、成長している手ごたえを感じる」とJ-HOPE。まだあどけなさを残す彼らに夢をたずねると「老若男女問わず、いろんな人に認めてもらえるグループに成長したいです」(JIN)、「日本のファンといっぱい話したいし、チームとしてドームを目指したい」(RM)と語っていたのが印象的だった。あれから3年半。BTSは夢を現実にしただけでなく、夢をも超える成功を手にした。

2017年から続くBBMAsやAMAsでの受賞やパフォーマンス、

2018年の国連でのスピーチ。だが日本では、海外から伝えられるニュースの数々は、唐突な出来事のように受け止められた。アメリカで、世界で、果たして何が起きているのか。群雄割拠のK-POPグループのなかで、BTSが認められた理由とは――。K-POPファンやメディアが問い続けた「なぜ？」にたいする答えが、本書『BTSを読む　なぜ世界を夢中にさせるのか』には記されている。

2019年3月に韓国版と英語版が同時刊行された本書は、英語版が初日に完売。日本語版のほか、タイ語版も出版され、ベトナム語とロシア語での翻訳も現在進行中だ。ソウル生まれの著者キム・ヨンデは、2007年にアメリカに留学。以来、シアトルを拠点にK-POPを見つめてきた。つまり、米国内でK-POPの変遷を定点観測してきた数少ない専門家のひとりだ。本書では、BTSが成功した理由を、韓国ポピュラー音楽の歴史など韓国人ならではの深い知識と、アメリカ在住者としての体験に基づく見識を生かし、3つの要素で分析している。

ひとつ目は「Review」（レビュー）、音楽そのものにたいする分析だ。オールドスクール・ヒップホップを原点とするデビュー作『2 COOL 4 SKOOL』から、『花様年華』で新たなスタイルを確立し、『LOVE YOURSELF』で新境地を開くまで。サウンドやリリックにたいする細やかな解説を読みながら1曲ずつ傾聴すると、BTSが「ヒップホップ」と「アイドル」のあいだで時に逡巡する様子や、葛藤を乗り越え変貌を遂げていく過程が、「音楽」を通して、くっきりと浮かび上がる。

「Column」（コラム）では、韓国とアメリカという2つの文化を共有する著者自身の、実体験に基づく視点が興味深い。たとえば、2014年のKCONで、初めて黒い服に身を包んだARMYの出現と異例の熱狂ぶりを目撃したくだりは、アメリカの大手メディアがBTSに注目するはるか前から「BTS現象」の萌芽が現れていたことを裏づける。また、意外だったのは、2018年の「LOVE YOURSELF」北米ツアーの会場でミドルエイジの女性ファンが「BTSの特別な魅力」を表現した、「ノスタルジア」という言葉。2000年代前半に「冬のソナタ」がブームになった時、日本の同年代の女性の多くが抱いた感情に重なり、あの時と同じような現象が、欧米の一部で起きていることを示唆する。いずれも著者が現場にいたからこそ知り得た事実だ。

韓米両国で活躍する評論家ならではの人脈を生かした「Interview」（インタビュー）では、BTSに関わるさまざまな人との対話から人気の背景に迫る。なかでも、ジャーナリスト、キム・ボンヒョンが明かす、ヒップホップコミュニティから受けた辛らつなバッシングと、『ビルボード』コラムニスト、ジェフ・ベンジャミンが語る米国でのポジティブな評価の対比は、デビュー当時と現在の周囲の視線の変化を浮き彫りにする。また、作曲家ブラザー・スーが「大きな絵を何人かで同時に仕上げるように」と表現する、Big Hit独特のサウンドメイクのディテールは、内部を知る人による希少な証言で、一次資料的な価値があるといえるだろう。

本書がカバーしているレビューは、『LOVE YOURSELF』シリーズまでだ。だが、読み終えたあと、最新アルバム『MAP OF THE SOUL: 7』に耳を傾ければ、ひとつひとつの曲の意味がより深くはっきりと心に響くはず。『BTSを読む』は、これまでの足跡について読むだけでなく、現在と未来のBTSを読み解く手びきでもある。

最後に、このあとがきを書いている現在の状況について付け加えたい。

『BTSを読む』日本語版が発売された直後の2020年5月27日。私はアメリカ・ワシントンDC近郊にあるスタジアム、フェデックスフィールドで、BTSのワールドツアー「MAP OF THE SOUL TOUR」の大歓声の渦のなかにいる予定だった。だが、それは叶わぬ夢と消えた。同じやるせなさを抱く人は、世界中に数十万、いや、数百万いるだろう。295ページの著者による日本版書き下ろし「BTSのこれから」の原稿が届いたあと、新型コロナウイルスの感染拡大により、日本や欧米など18都市で38公演を予定していたBTSのツアーは「全面的に再調整」、つまりいったん白紙となった（4月28日現在）。

世界中でライブが次々とキャンセルになり、音楽業界全体が新たなかたちを模索する。そんななか、BTSは3月30日、米CBSの番組『James Corden's Late Late Show』による特番「HomeFest」に出演。それぞれの家からライブを生中継するビリー・アイリッシュ、デュア・リパ、ジョン・レジェンドらと並び、ソウルから「Boy With Luv」のパフォーマンスを披露した。ワールドツアーのソウル公演が予定されていた4月18日と19日には、オンラインストリーミングイベント「BTS ONLINE CONCERT WEEKEND 'BANG BANG CON'」を開催。YouTubeチャンネル「BANGTANTV」で過去8回のライブを計23時間以上にわたり配信し、世界同時接続数224万人を記録した。大衆にアピールする一方で、ファンコミュニティアプリ「Weverse」でARMYの書き込みに、メンバーみずからこまめにコメントする心遣いも欠かさない。

さらに、4月17日。「コンサートやいろいろなものが延期されたり中止されたりして長期化しているので、新しいことをしてみたいと思って」と、RMがYouTubeチャンネルに予告なしに登場。ニューアルバムをリリースする準備をスタートし、制作過程をファンと共有すると明かした。本来、メンバーの入隊時期が迫っていて、『MAP OF THE SOUL: 7』が区切りのアルバムになると思われていたなかでのサプライズだ。

彼らの活動をネットで見つめながら、2016年のインタビューでの言葉を思いだした。

「目標は、変化し続ける姿が見えるチーム」。JUNG KOOKが言うと、全員がうなずき、SUGAが続けた。「止まったら終わりだよね。ずっと少しずつ変わっていかないと」。

そう、BTSは逆境を逆手に自分たちのスタイルを守りながら進化を続ける。そんなぶれない姿も、彼らが世界を夢中にさせる理由のひとつだろう。

一部の音楽用語の訳出にあたりアドバイスいただいたK-POPの日本語歌詞も手がける作詞家のもりちよこさん、英語版と韓国語版の微妙なニュアンスの差を汲みとりながら丁寧に推敲してくださった担当編集者の竹田純さんに感謝したい。

桑畑優香

【著者プロフィール】

キム・ヨンデ

音楽評論家で文化研究者。韓国大衆音楽賞選定委員。延世大学経営学科卒業、アメリカ・ワシントン大学音楽学博士課程修了。ソウルで生まれ、2007年からアメリカ・シアトルに住み、10年以上アメリカにおけるポップミュージックのマーケットとK-POPの動向を観察し、研究している。近年は『ハンギョレ新聞』など韓国メディアと、『New York Magazine - Vulture』『MTV』などの外国メディアに音楽評論を寄稿し、2017年にYouTubeチャンネル(https://www.youtube.com/user/toojazzy25)を開設。BTSをはじめ多様なK-POPを分析・紹介する動画をアップロードしている。著書には『90年代を飾った名盤50』『韓国ヒップホップ 熱情の足跡』(いずれも未邦訳)などがある。

【訳者プロフィール】

桑畑優香(くわはた・ゆか)

翻訳家、ライター。早稲田大学第一文学部卒業。延世大学語学堂・ソウル大学政治学科で学ぶ。「ニュースステーション」ディレクターを経てフリーに。ドラマ・映画のレビューやK-POPアーティストへのインタビューを中心に『韓国語学習ジャーナルhana』『韓流旋風』『現代ビジネス』『デイリー新潮』『AERA』『Yahoo! ニュース個人』などに寄稿。訳書に『韓国映画俳優辞典』(ダイヤモンド社・共訳)『花ばぁば』(ころから)、『今、何かを表そうとしている10人の日本と韓国の若手対談』『韓国映画100選』(クオン)など。

BTSを読む

なぜ世界を夢中にさせるのか

2020年6月10日　第1刷発行
2021年3月10日　第6刷発行

著　　者　キム・ヨンデ
訳　　者　桑畑優香
発 行 者　富澤凡子
発 行 所　柏書房株式会社
　　　　　東京都文京区本郷2-15-13(〒113-0033)
　　　　　電話(03)3830-1891(営業)
　　　　　　　(03)3830-1894(編集)
装　　丁　根本綾子
組　　版　高井愛
印刷・製本　中央精版印刷株式会社

ISBN978-4-7601-5219-3